365
Jeux d'été
pour les enfants

3 à 5 ans

Les Éditions
Goélette

Graphisme de la couverture:
Marjolaine Pageau

Graphisme et mise en pages:
Marie-Pier S.Viger
Chantal Morisset
Marjolaine Pageau
Katia Senay
Sophie Binette
Jessica Papineau-Lapierre

© Les Éditions Goélette inc.
1350, Marie-Victorin
St-Bruno-de-Montarville (Québec) CANADA J3V 6B9
Téléphone: 450 653-1337
Télécopieur: 450 653-9924
www.editionsgoelette.com
www.facebook.com/EditionsGoelette

Dépôts légaux:
Bibliothèque et Archives nationales du Québec
Bibliothèque nationale du Canada
Deuxième trimestre 2013

Les Éditions Goélette bénéficient du soutien financier de la SODEC
pour son programme d'aide à l'édition et à la promotion.

Nous remercions le gouvernement du Québec de l'aide financière
accordée par l'entremise du Programme de crédit d'impôt pour
l'édition de livres, administré par la SODEC.

ASSOCIATION
NATIONALE
DES ÉDITEURS
DE LIVRES   Membre de l'Association nationale des éditeurs de livres

Imprimé au Canada

ISBN: 978-2-89690-561-4

De point en point

Relie chaque point dans l'ordre pour terminer le dessin. Quand tu as terminé, mets de la couleur.

Les jumeaux

Encercle les deux images
qui sont identiques.

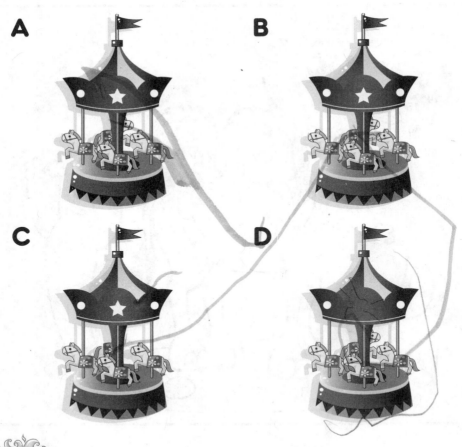

A

B

C

D

Jeu
2

Symétrie

Complète l'image.

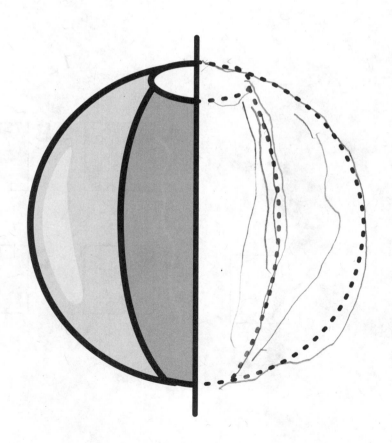

Le casse-tête

Trouve la partie
manquante de l'image.

A B C D

Jeu
4

Dessin à colorier

Amuse-toi et mets de la couleur.

Jeu
5

Les associations

Trouve et relie les vêtements
que l'on porte en été

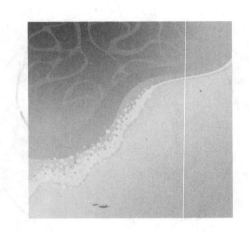

Maillot de bain

Tuque

Foulard

Short

Camisole

Jeu
6

Les silhouettes

Relie chaque image
à sa silhouette.

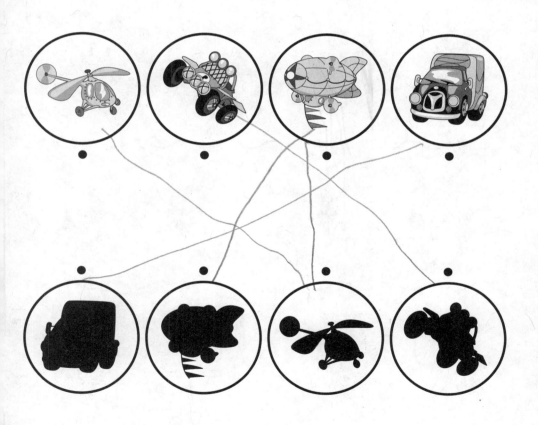

Le mouton noir

Entoure dans chaque rangée le plus grand dessin.

L'aventurier

Aide la fillette et trace le chemin
qui mène jusqu'à son ami.

Les 4 erreurs

Regarde bien ces deux images.
Trouve les quatre différences
et entoure-les.

Le labyrinthe

Aide la poule à se rendre
jusqu'à ses petits.

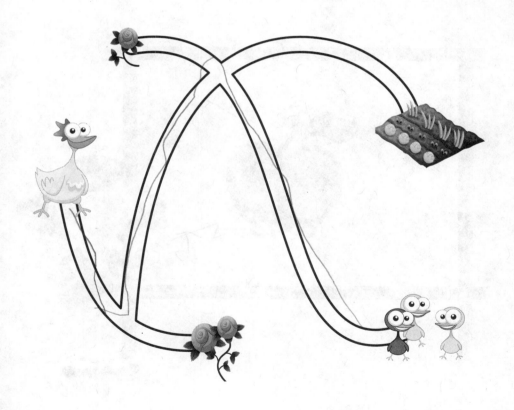

Qui suis-je ?

Devine à quel fruit
appartient l'ombre.

Le mathématicien

Dans chaque rangée,
entoure le nombre d'éléments qui
correspond au chiffre de gauche.

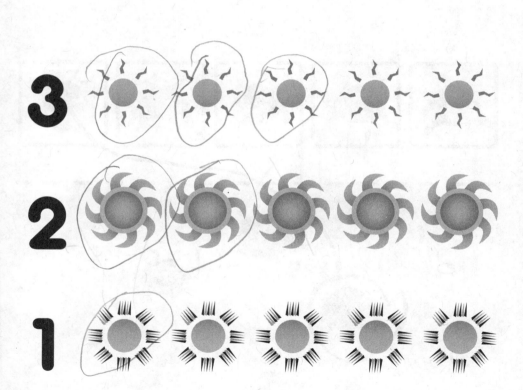

La suite

Observe bien la suite ci-dessous. Complète la rangée en encerclant le dessin manquant.

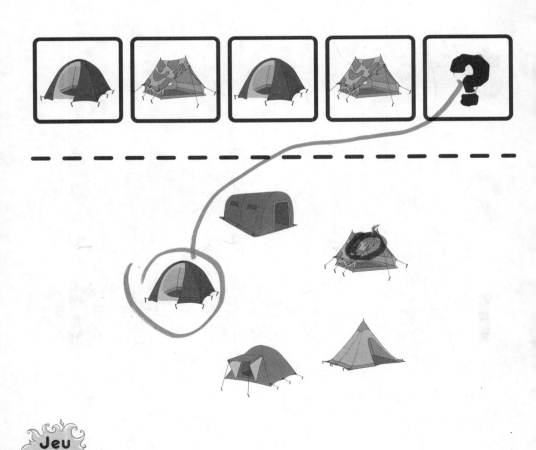

Jeu
14

L'identique

Associe les dessins
qui sont identiques.

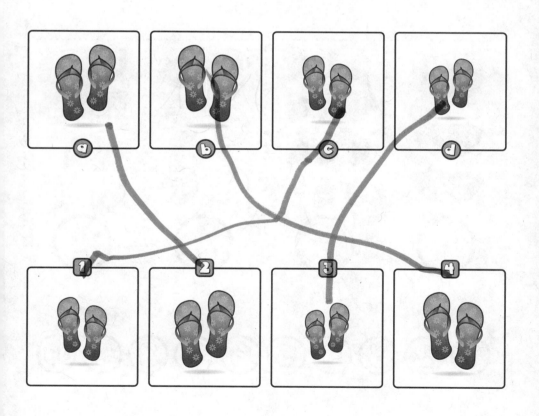

La calculatrice

Écris le nombre d'éléments
dans chaque case.

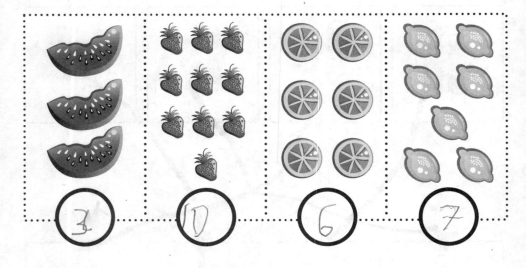

Le voyageur

Aide le surfeur à retrouver son amie.
Suis les coquillages et trace le chemin.
Tu peux te déplacer de façon
horizontale, verticale ou en diagonale.

Les doigts de la main

Entoure la main quand il y a
5 éléments dans la même rangée.

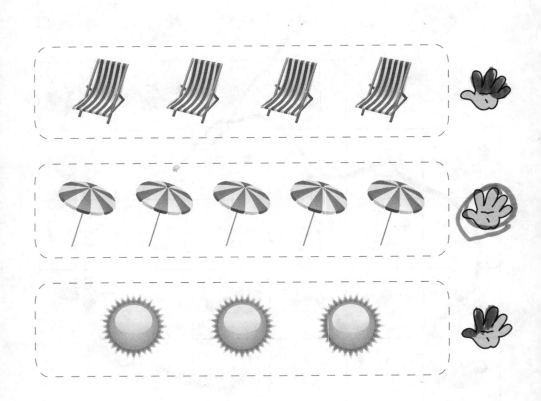

L'écrivain

Passe avec ton crayon
sur les pointillés. Exerce-toi
ensuite sans pointillés.

Le petit train

Entoure la lettre qui est écrite sur la locomotive dans chacun des mots du train.

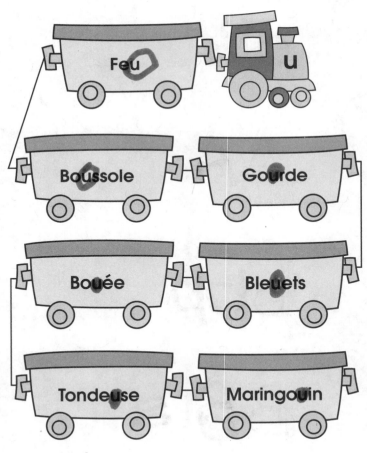

Feu   u

Boussole   Gourde

Bouée   Bleuets

Tondeuse   Maringouin

Émoticônes

Entoure 😦 quand le personnage est triste. Entoure 😊 quand le personnage est joyeux.

Le chercheur

Trouve les éléments
de gauche dans le décor.

L'artiste

Retrace le dessin de gauche
à droite du palmier.

Dans tous les sens

Entoure un des deux objets identiques.
Si tu regardes la flèche qui se trouve
en dessous, tu trouveras quel objet tu dois entourer.

BAS GAUCHE

De point en point

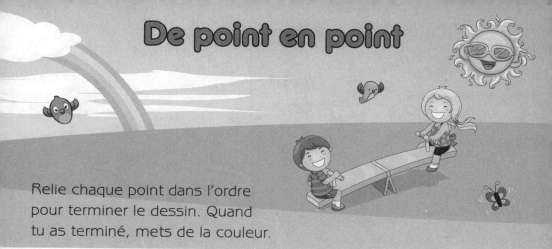

Relie chaque point dans l'ordre pour terminer le dessin. Quand tu as terminé, mets de la couleur.

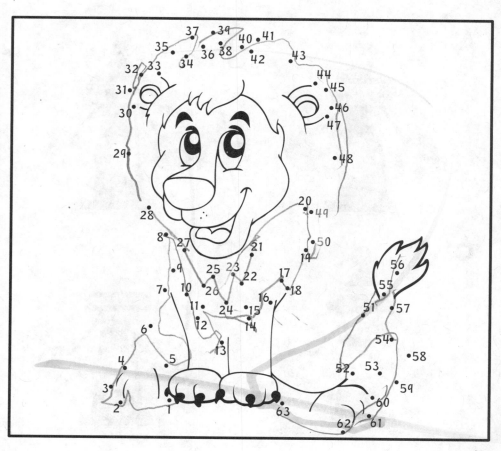

Les jumeaux

Encercle les deux images
qui sont identiques.

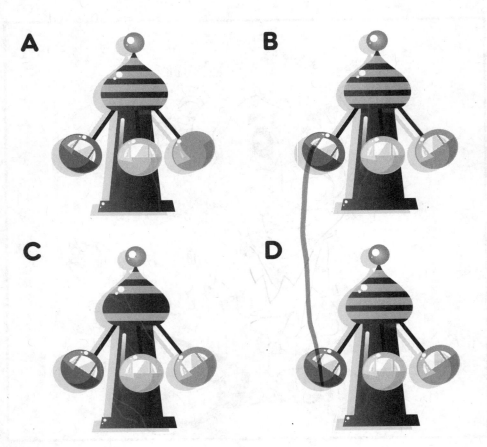

A

B

C

D

Symétrie

Complète l'image.

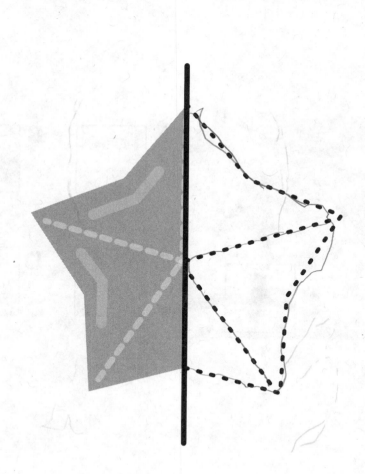

Jeu
27

Le casse-tête

Trouve la partie
manquante de l'image.

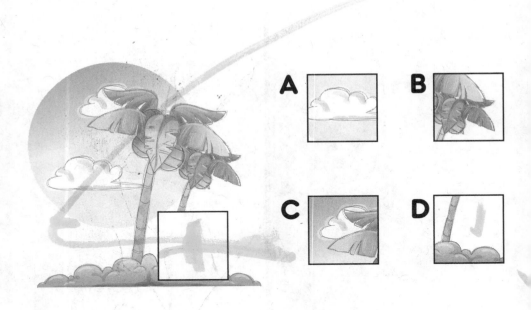

A

B

C

D

Dessin à colorier

Amuse-toi et mets de la couleur.

Jeu
29

Les associations

Trouve et relie les activités
que l'on fait à la plage

Château de sable

Baignade

Chasse

Surf

Escalade

Jeu
30

Les silhouettes

Relie chaque image
à sa silhouette.

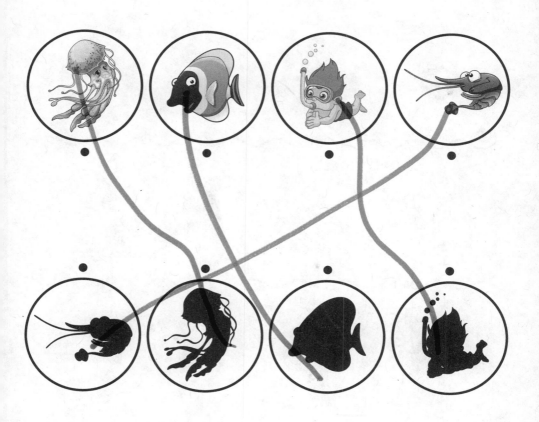

Le mouton noir

Entoure dans chaque rangée le plus grand dessin.

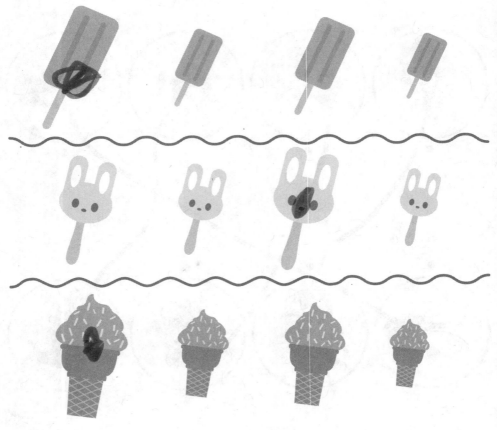

L'aventurier

Aide la maman poisson et trace le chemin qui mène jusqu'à son petit.

Les 4 erreurs

Regarde bien ces deux images.
Trouve les quatre différences
et entoure-les.

Le labyrinthe

Aide la joueuse de volley-ball à se rendre jusqu'à ses amis.

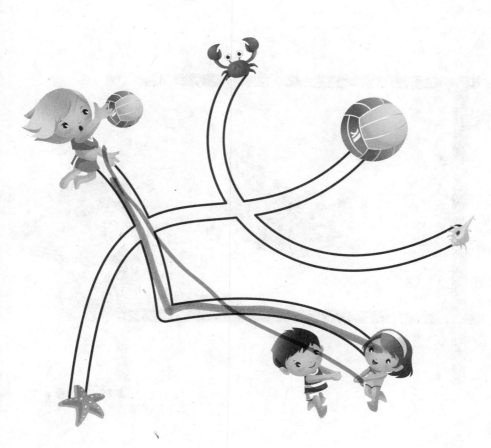

Qui suis-je ?

Devine à quel fruit appartient l'ombre.

Le mathématicien

Dans chaque rangée,
entoure le nombre d'éléments qui
correspond au chiffre de gauche.

La suite

Observe bien la suite ci-dessous. Complète la rangée en encerclant le dessin manquant.

L'identique

Associe les dessins
qui sont identiques.

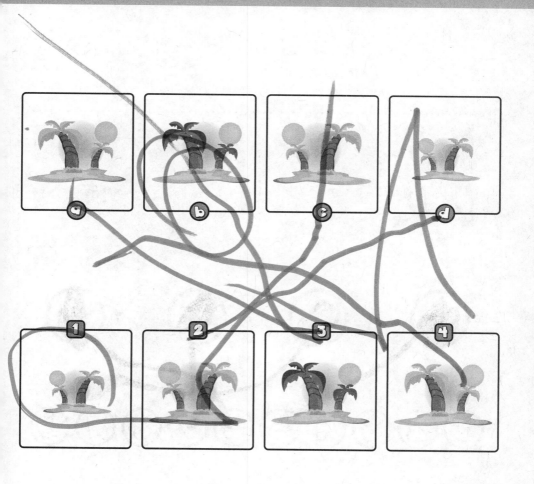

La calculatrice

Écris le nombre d'éléments
dans chaque case.

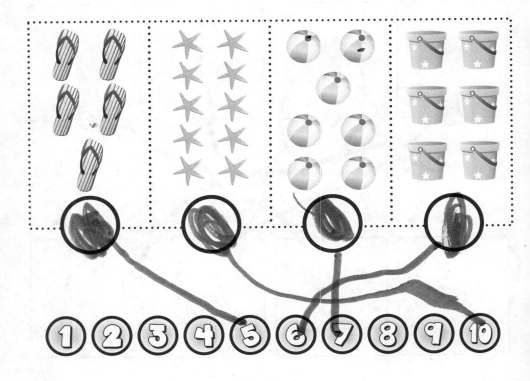

Le voyageur

Aide le chien à retrouver son os.
Suis les seaux et trace le chemin.
Tu peux te déplacer de façon
horizontale, verticale ou en diagonale.

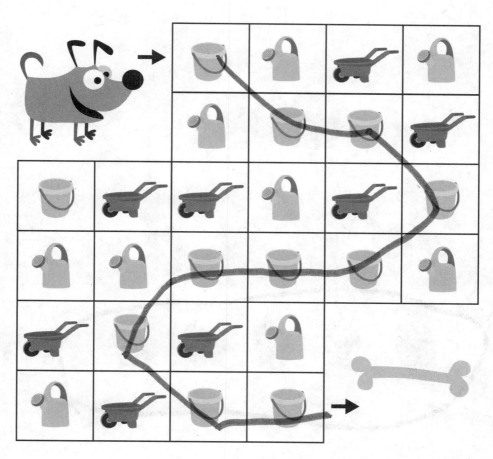

Les doigts de la main

Entoure la main quand il y a 5 éléments dans la même rangée.

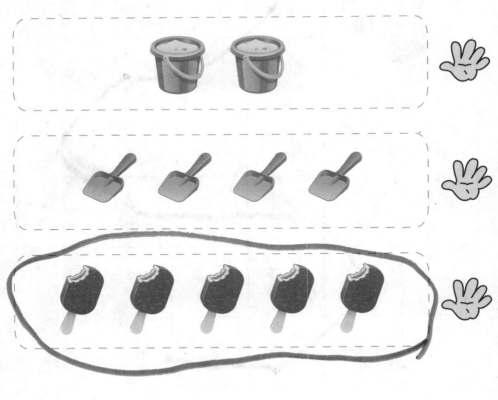

Jeu
42

L'écrivain

Passe avec ton crayon sur les pointillés. Exerce-toi ensuite sans pointillés.

Le petit train

Entoure la lettre qui est écrite sur la locomotive dans chacun des mots du train.

Amis

m

Hamac

Camp

Melon

Rame

Animaux

Manège

Émoticônes

Entoure 😦 quand le personnage est triste. Entoure 😊 quand le personnage est joyeux.

Le chercheur

Trouve les éléments de gauche dans le décor.

L'artiste

Retrace le dessin de gauche
à droite du palmier.

Dans tous les sens

Entoure un des deux objets identiques.
Si tu regardes la flèche qui se trouve
en dessous, tu trouveras quel objet tu dois entourer.

HAUT GAUCHE

De point en point

Relie chaque point dans l'ordre pour terminer le dessin. Quand tu as terminé, mets de la couleur.

Les jumeaux

Encercle les deux images
qui sont identiques.

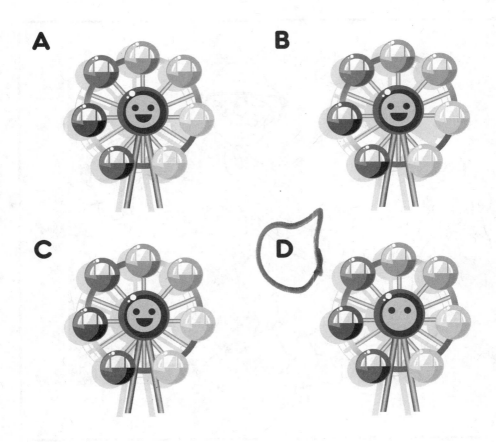

A

B

C

D

Symétrie

Complète l'image.

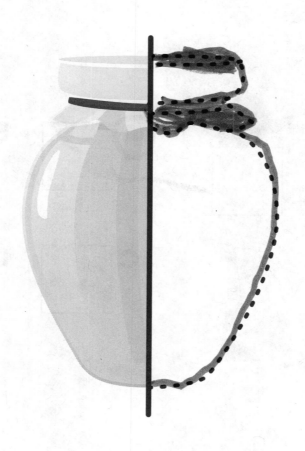

Le casse-tête

Trouve la partie manquante de l'image.

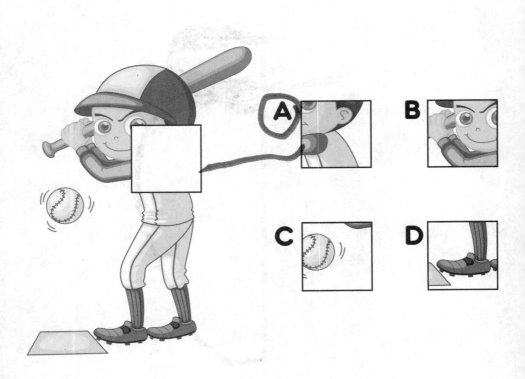

A **B**

C **D**

Jeu
52

Dessin à colorier

Amuse-toi et mets de la couleur.

Les associations

Trouve et relie ce que l'on apporte à la plage.

Crème solaire

Tente

Sandales

Ballon de plage

Boussole

Jeu
54

Les silhouettes

Relie chaque image
à sa silhouette.

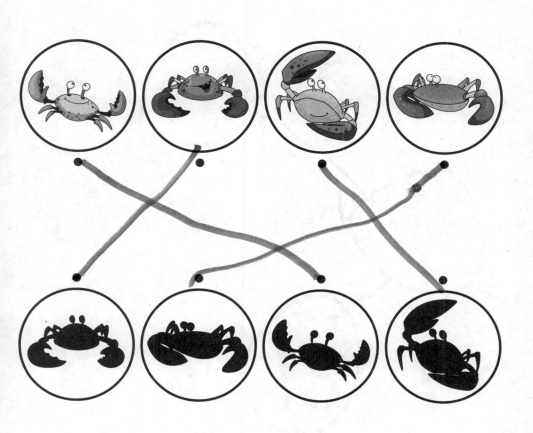

Le mouton noir

Entoure dans chaque
rangée le plus grand dessin.

L'aventurier

Aide l'avion et trace le chemin
qui mène jusqu'à l'île déserte.

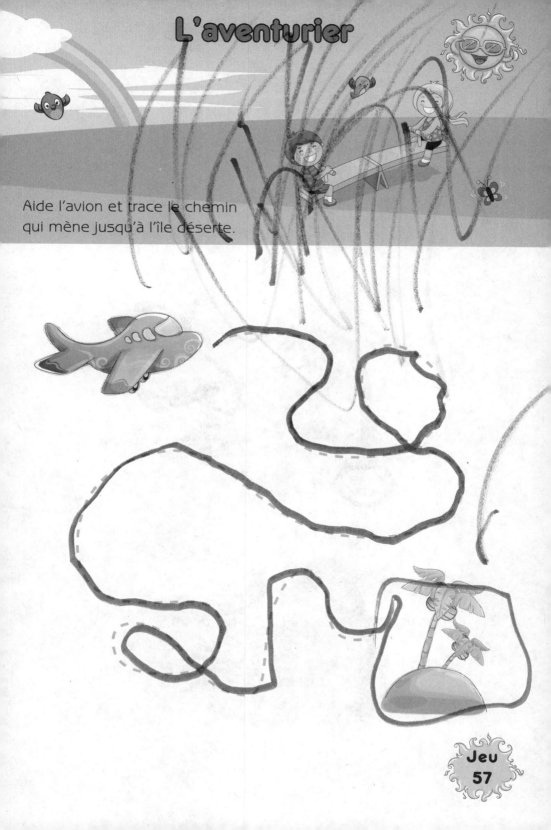

Les 4 erreurs

Regarde bien ces deux images.
Trouve les quatre différences
et entoure-les.

Jeu
58

Le labyrinthe

Aide le chat à se rendre
jusqu'à sa maison.

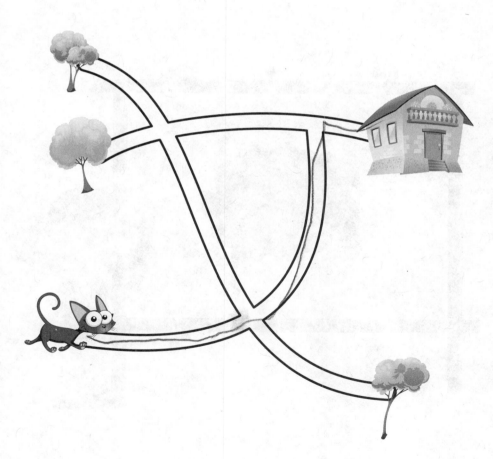

Qui suis-je ?

Devine à quel animal
appartient l'ombre.

Le mathématicien

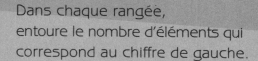

Dans chaque rangée,
entoure le nombre d'éléments qui
correspond au chiffre de gauche.

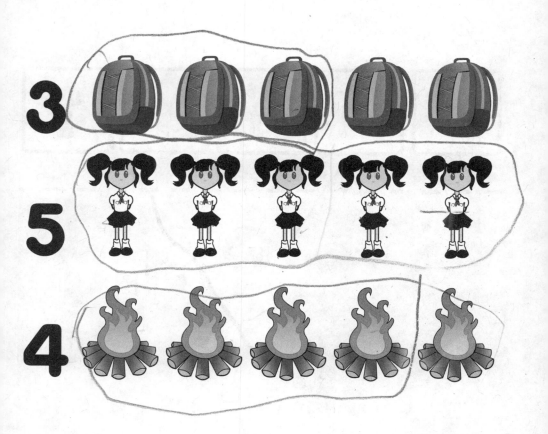

3

5

4

La suite

Observe bien la suite ci-dessous. Complète la rangée en encerclant le dessin manquant.

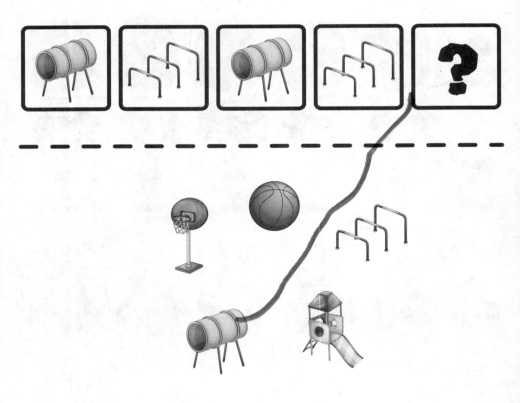

L'identique

Associe les dessins
qui sont identiques.

a   b   c   d

1   2   3   4

Jeu
63

La calculatrice

Écris le nombre d'éléments dans chaque case.

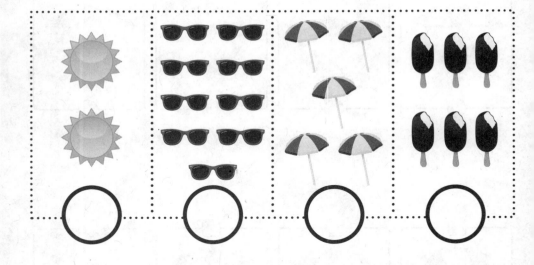

Le voyageur

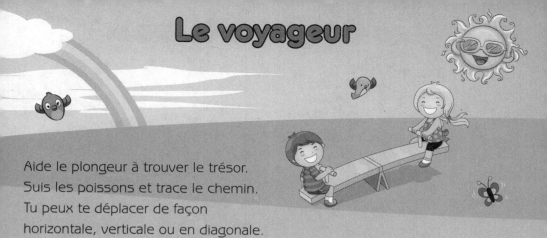

Aide le plongeur à trouver le trésor.
Suis les poissons et trace le chemin.
Tu peux te déplacer de façon
horizontale, verticale ou en diagonale.

Jeu
65

Les doigts de la main

Entoure la main quand il y a 5 éléments dans la même rangée.

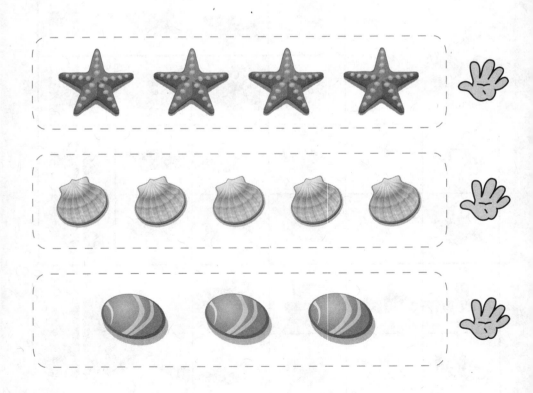

L'écrivain

Passe avec ton crayon sur les pointillés. Exerce-toi ensuite sans pointillés.

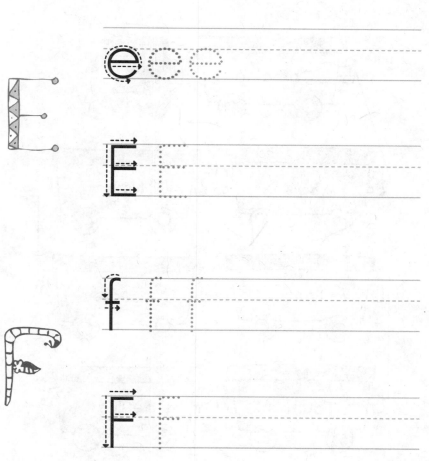

Le petit train

Entoure la lettre qui est écrite sur la locomotive dans chacun des mots du train.

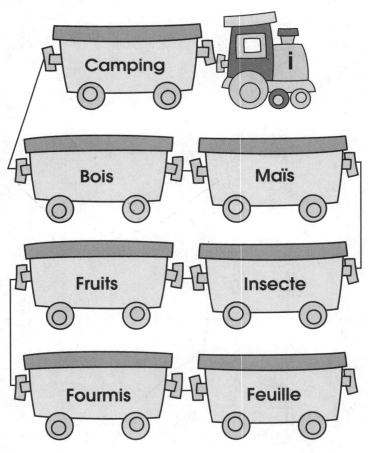

Camping

i

Bois

Maïs

Fruits

Insecte

Fourmis

Feuille

Émoticônes

Entoure quand le personnage est triste. Entoure 😃 quand le personnage est joyeux.

Jeu 69

Le chercheur

Trouve les éléments de gauche dans le décor.

L'artiste

Retrace le dessin de gauche
à droite du palmier.

Dans tous les sens

Entoure un des deux objets identiques.
Si tu regardes la flèche qui se trouve
en dessous, tu trouveras quel objet tu dois entourer.

BAS

Jeu
72

De point en point

Relie chaque point dans l'ordre pour terminer le dessin. Quand tu as terminé, mets de la couleur.

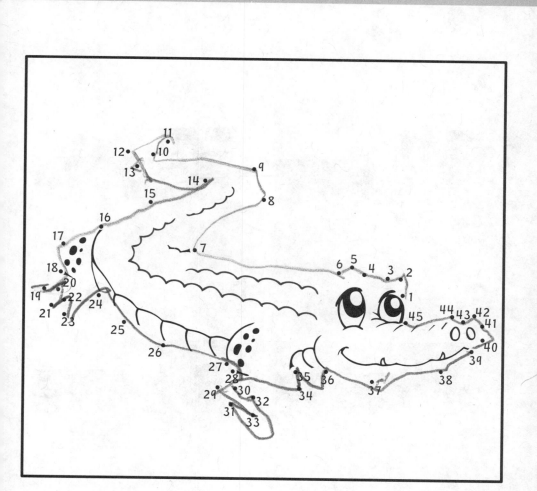

Les jumeaux

Encercle les deux images qui sont identiques.

A

B

C

D

Jeu
74

Symétrie

Complète l'image.

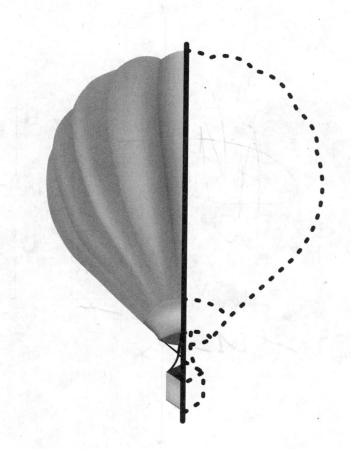

Le casse-tête

Trouve la partie manquante de l'image.

A

B

C

D

Dessin à colorier

Amuse-toi et mets de la couleur.

Jeu
77

Les associations

Trouve et relie les activités que l'on fait l'été.

Palmiers

Plongée

Bonhomme de neige

Randonnée

Baignade

Jeu
78

Les silhouettes

Relie chaque image
à sa silhouette.

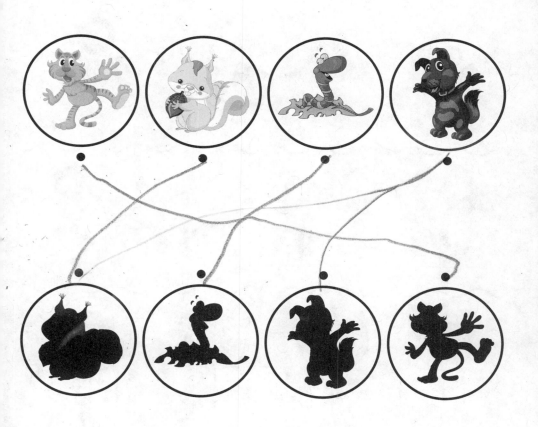

Le mouton noir

Entoure dans chaque rangée le plus grand dessin.

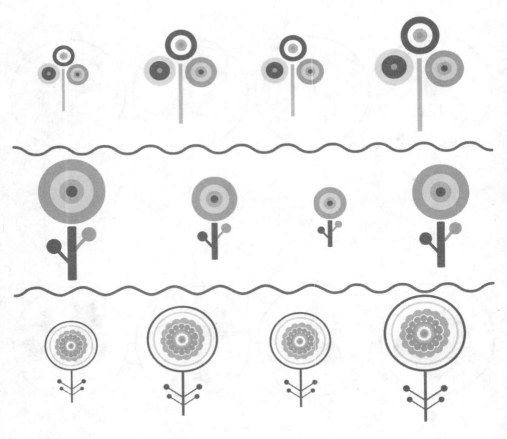

L'aventurier

Aide le petit garçon et trace le chemin
qui mène jusqu'à son canard.

Les 4 erreurs

Regarde bien ces deux images.
Trouve les quatre différences
et entoure-les.

Le labyrinthe

Aide le garçon à se rendre
jusqu'à sa sœur.

Qui suis-je ?

Devine à quel animal appartient l'ombre.

Le mathématicien

Dans chaque rangée, entoure le nombre d'éléments qui correspond au chiffre de gauche.

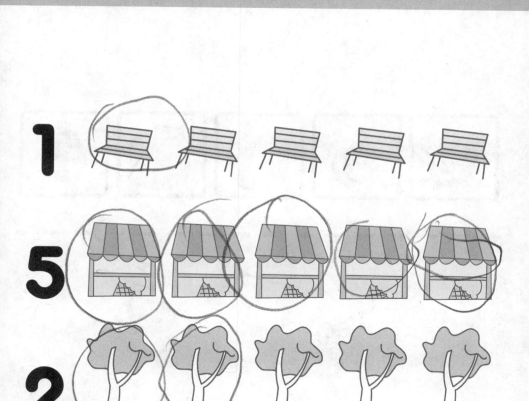

La suite

Observe bien la suite ci-dessous. Complète la rangée en encerclant le dessin manquant.

L'identique

Associe les dessins
qui sont identiques.

a · b · c · d

1 · 2 · 3 · 4

La calculatrice

Écris le nombre d'éléments dans chaque case.

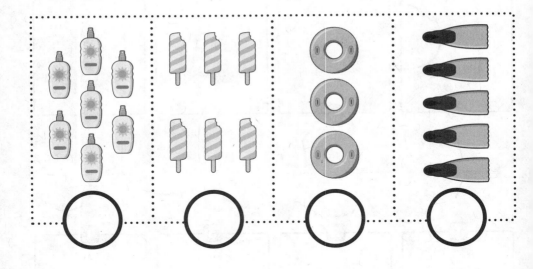

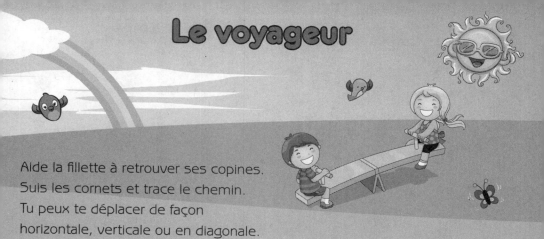

Le voyageur

Aide la fillette à retrouver ses copines.
Suis les cornets et trace le chemin.
Tu peux te déplacer de façon
horizontale, verticale ou en diagonale.

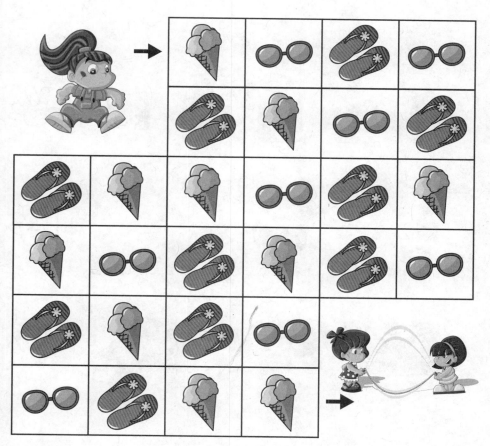

Les doigts de la main

Entoure la main quand il y a 5 éléments dans la même rangée.

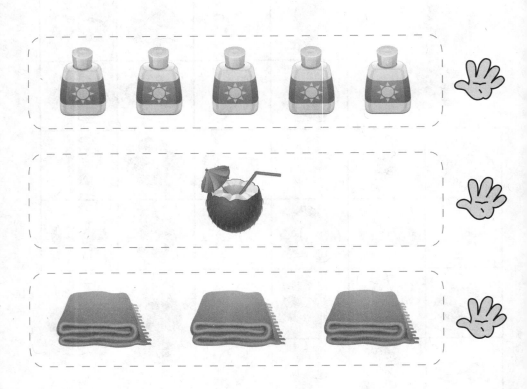

L'écrivain

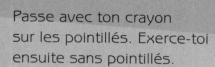

Passe avec ton crayon sur les pointillés. Exerce-toi ensuite sans pointillés.

G g g g

G G G

h h h

H H H

Le petit train

Entoure la lettre qui est écrite sur la locomotive dans chacun des mots du train.

Seau

a

Arbuste

Glaçon

Fraise

Papillon

Abeille

Festival

Émoticônes

Entoure  quand le personnage est triste. Entoure ☺ quand le personnage est joyeux.

Le chercheur

Trouve les éléments de gauche dans le décor.

L'artiste

Retrace le dessin de gauche
à droite du palmier.

Dans tous les sens

Entoure un des deux objets identiques.
Si tu regardes la flèche qui se trouve
en dessous, tu trouveras quel objet tu dois entourer.

DROITE

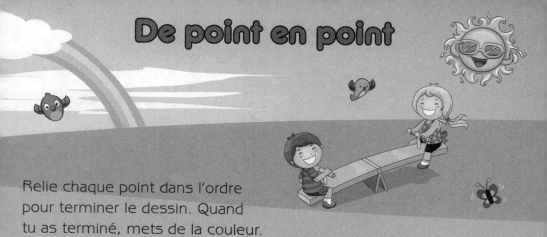

De point en point

Relie chaque point dans l'ordre
pour terminer le dessin. Quand
tu as terminé, mets de la couleur.

Les jumeaux

Encercle les deux images
qui sont identiques.

A

B

C

D

Symétrie

Complète l'image.

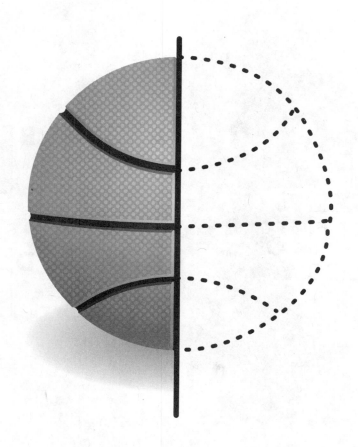

Le casse-tête

Trouvè la partie manquante de l'image.

Dessin à colorier

Amuse-toi et mets de la couleur.

Les associations

Trouve et relie ce que l'on mange lorsqu'il fait chaud l'été.

Voilier

Coupe glacée

Sucette glacée

Cornet de crème glacée

Salade de fruits

Jeu 102

Les silhouettes

Relie chaque image
à sa silhouette.

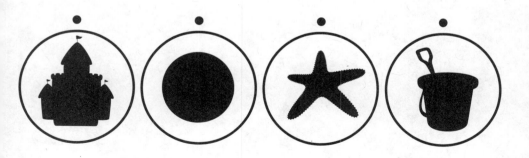

Le mouton noir

Entoure dans chaque rangée le plus grand dessin.

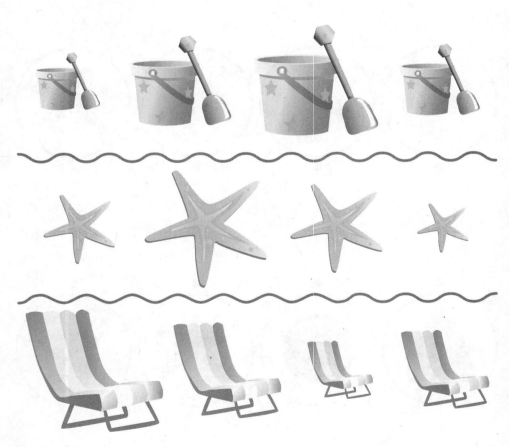

L'aventurier

Aide l'éléphant et trace le chemin
qui mène jusqu'à son ami l'hippopotame.

Les 4 erreurs

Regarde bien ces deux images.
Trouve les quatre différences
et entoure-les.

Le labyrinthe

Aide l'éléphant à se rendre
jusqu'à son ami le canard.

Qui suis-je?

Devine à quel oiseau
appartient l'ombre.

Le mathématicien

Dans chaque rangée,
entoure le nombre d'éléments qui
correspond au chiffre de gauche.

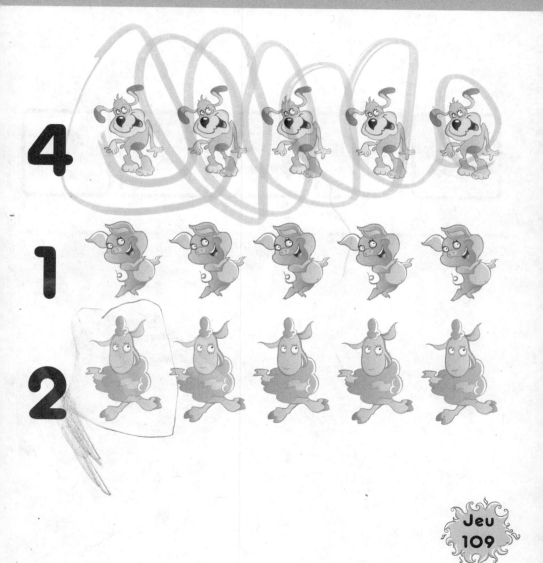

La suite

Observe bien la suite ci-dessous. Complète la rangée en encerclant le dessin manquant.

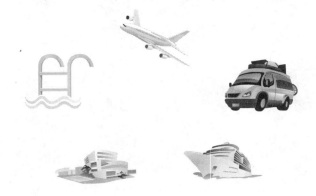

L'identique

Associe les dessins
qui sont identiques.

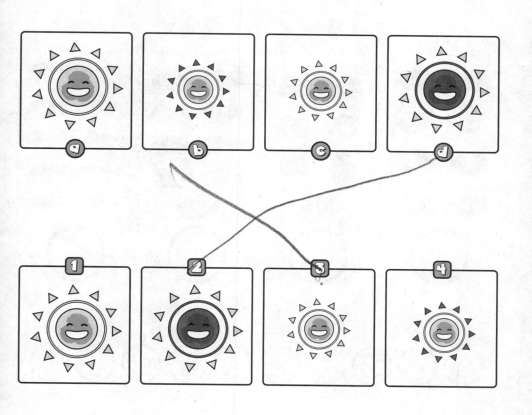

La calculatrice

Écris le nombre d'éléments dans chaque case.

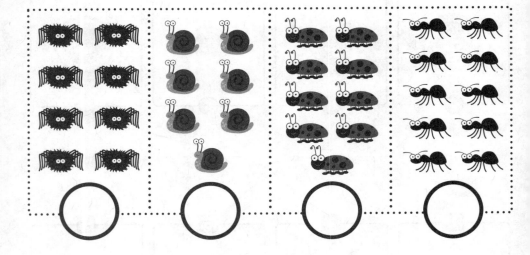

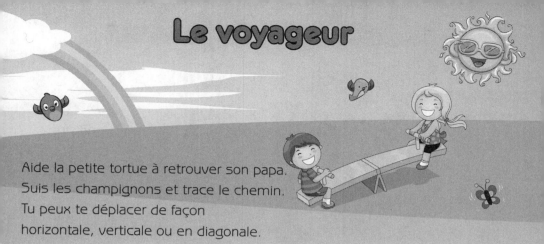

Le voyageur

Aide la petite tortue à retrouver son papa.
Suis les champignons et trace le chemin.
Tu peux te déplacer de façon
horizontale, verticale ou en diagonale.

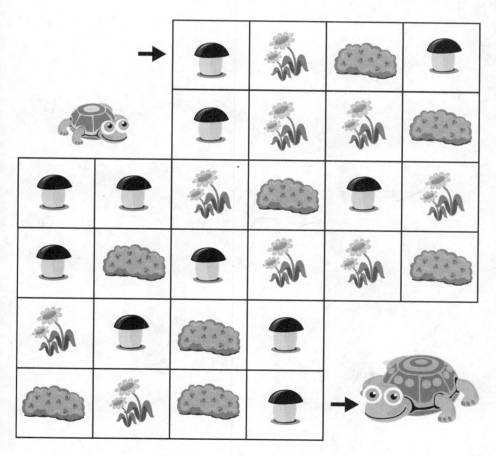

Les doigts de la main

Entoure la main quand il y a
5 éléments dans la même rangée.

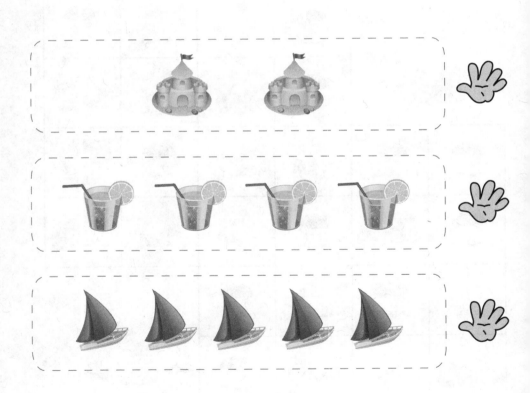

L'écrivain

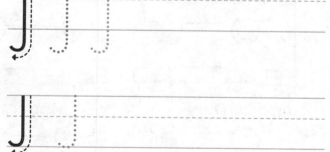

Passe avec ton crayon sur les pointillés. Exerce-toi ensuite sans pointillés.

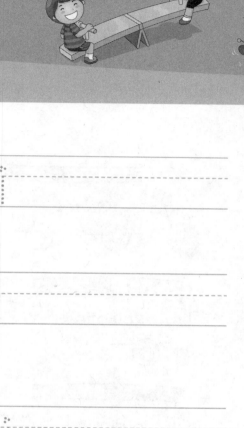

Le petit train

Entoure la lettre qui est écrite sur la locomotive dans chacun des mots du train.

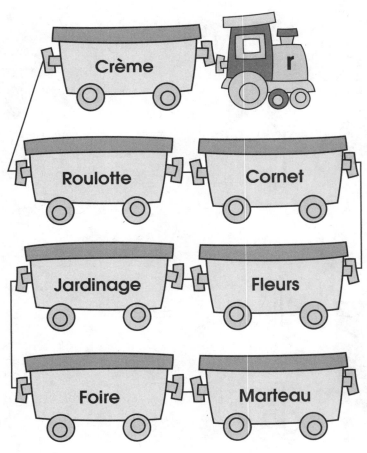

Crème

r

Roulotte

Cornet

Jardinage

Fleurs

Foire

Marteau

Jeu
116

Émoticônes

Entoure 🙁 quand le personnage est triste. Entoure 🙂 quand le personnage est joyeux.

Le chercheur

Trouve les éléments de gauche dans le décor.

L'artiste

Retrace le dessin de gauche
à droite du palmier.

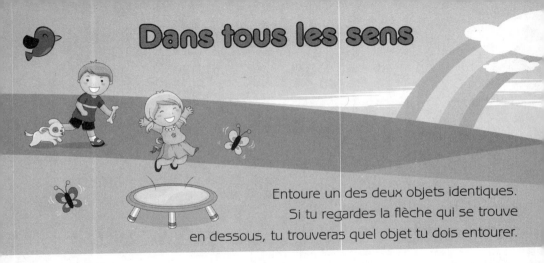

Dans tous les sens

Entoure un des deux objets identiques.
Si tu regardes la flèche qui se trouve
en dessous, tu trouveras quel objet tu dois entourer.

GAUCHE

De point en point

Relie chaque point dans l'ordre pour terminer le dessin. Quand tu as terminé, mets de la couleur.

Les jumeaux

Encercle les deux images
qui sont identiques.

A

B

C

D

Jeu
122

Symétrie

Complète l'image.

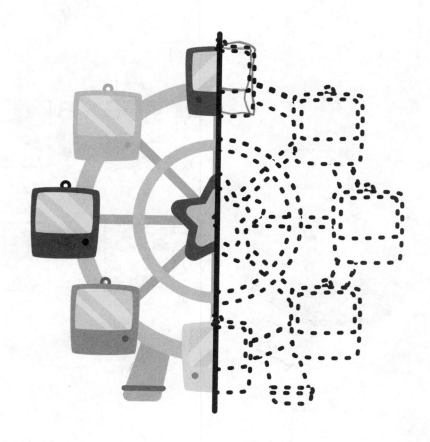

Le casse-tête

Trouve la partie manquante de l'image.

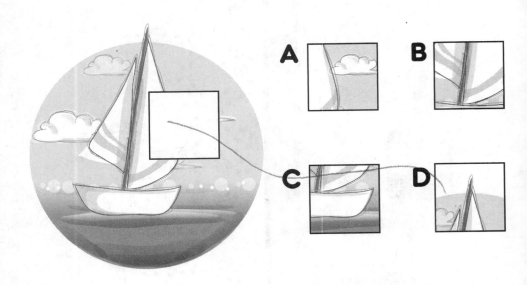

A

B

C

D

Dessin à colorier

Amuse-toi et mets de la couleur.

Les associations

Trouve et relie les sports que l'on fait l'été.

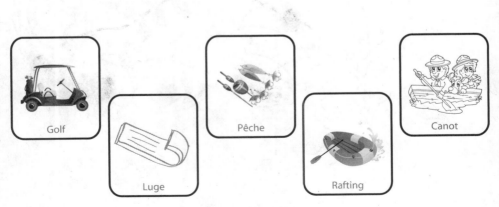

Golf

Luge

Pêche

Rafting

Canot

Les silhouettes

Relie chaque image
à sa silhouette.

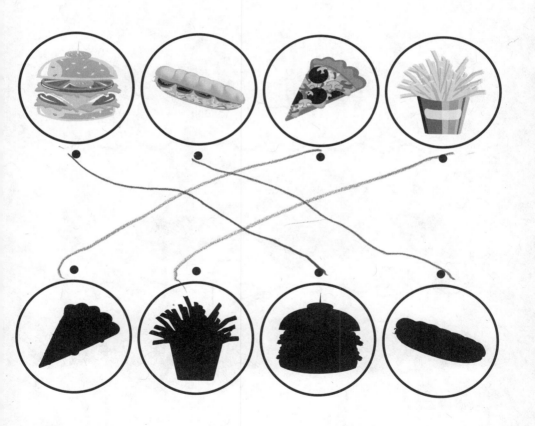

Le mouton noir

Entoure dans chaque rangée le plus grand dessin.

L'aventurier

Aide le perroquet et trace le chemin
qui mène jusqu'à son arbre.

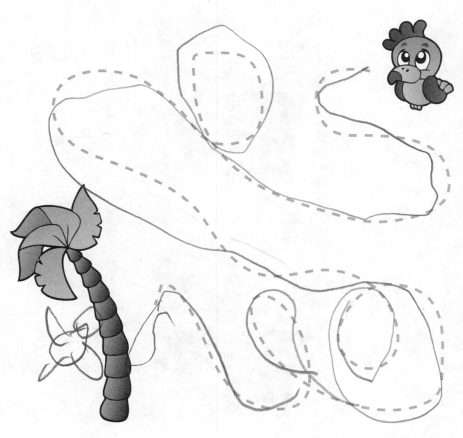

Les 4 erreurs

Regarde bien ces deux images.
Trouve les quatre différences
et entoure-les.

Jeu
130

Le labyrinthe

Aide le chien à se rendre
jusqu'à sa niche.

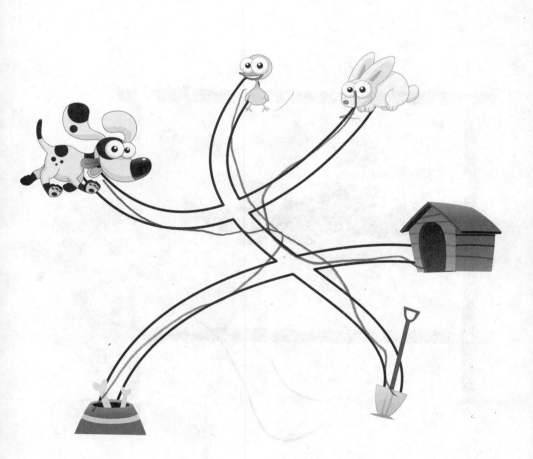

Qui suis-je ?

Devine à quel reptile appartient l'ombre.

Le mathématicien

Dans chaque rangée, entoure le nombre d'éléments qui correspond au chiffre de gauche.

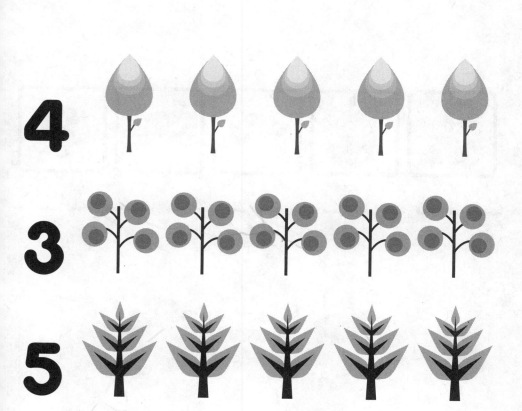

La suite

Observe bien la suite ci-dessous. Complète la rangée en encerclant le dessin manquant.

Jeu
134

L'identique

Associe les dessins
qui sont identiques.

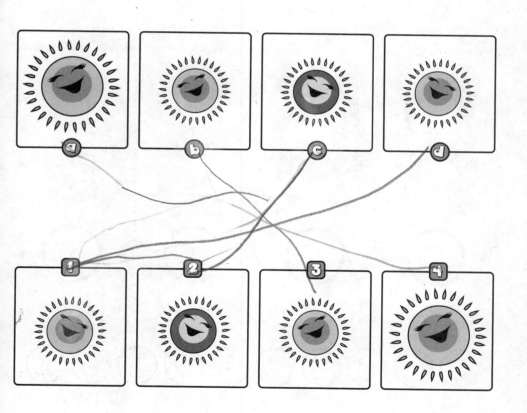

La calculatrice

Écris le nombre d'éléments dans chaque case.

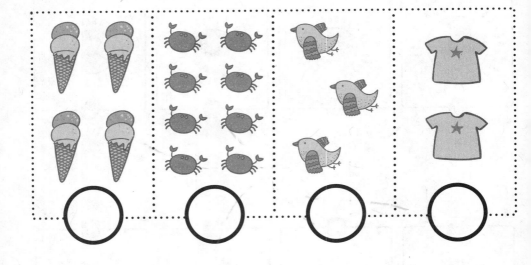

Le voyageur

Aide l'écureuil à trouver son arbre.
Suis les papillons et trace le chemin.
Tu peux te déplacer de façon
horizontale, verticale ou en diagonale.

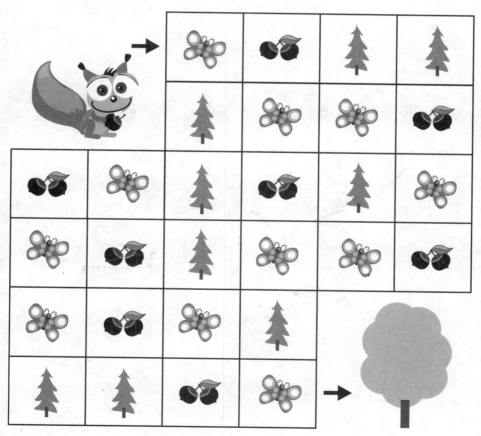

Les doigts de la main

Entoure la main quand il y a 5 éléments dans la même rangée.

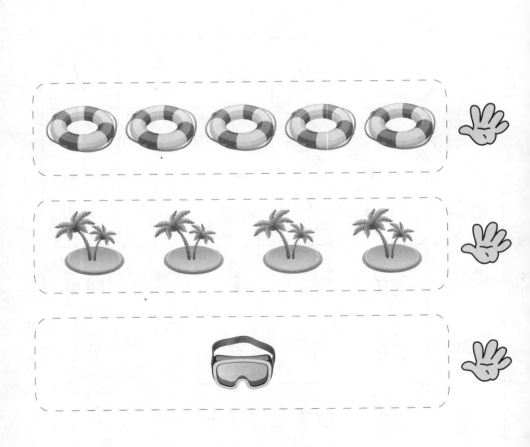

Passe avec ton crayon
sur les pointillés. Exerce-toi
ensuite sans pointillés.

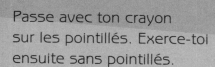

Le petit train

Entoure la lettre qui est écrite sur la locomotive dans chacun des mots du train.

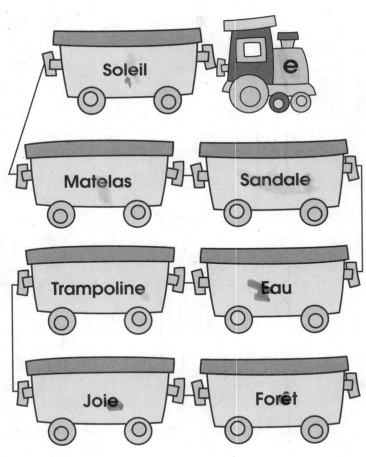

Soleil

e

Matelas

Sandale

Trampoline

Eau

Joie

Forêt

Émoticônes

Entoure 😦 quand le personnage est triste. Entoure 😃 quand le personnage est joyeux.

Le chercheur

Trouve les éléments de gauche dans le décor.

L'artiste

Retrace le dessin de gauche
à droite du palmier.

Dans tous les sens

Entoure un des deux objets identiques.
Si tu regardes la flèche qui se trouve
en dessous, tu trouveras quel objet tu dois entourer.

GAUCHE

De point en point

Relie chaque point dans l'ordre
pour terminer le dessin. Quand
tu as terminé, mets de la couleur.

Les jumeaux

Encercle les deux images
qui sont identiques.

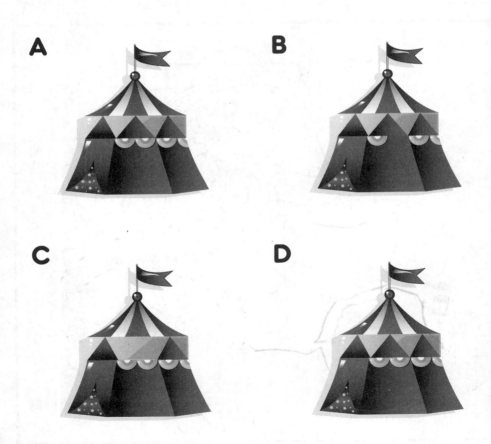

A

B

C

D

Symétrie

Complète l'image.

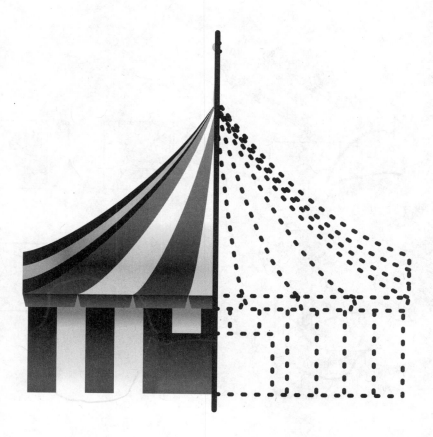

Le casse-tête

Trouve la partie manquante de l'image.

A

B

C

D

Dessin à colorier

Amuse-toi et mets de la couleur.

Les associations

Trouve et relie les températures que l'on a pendant l'été.

Canicule

Froid

Pluie

Orage

Neige

Jeu
150

Les silhouettes

Relie chaque image
à sa silhouette.

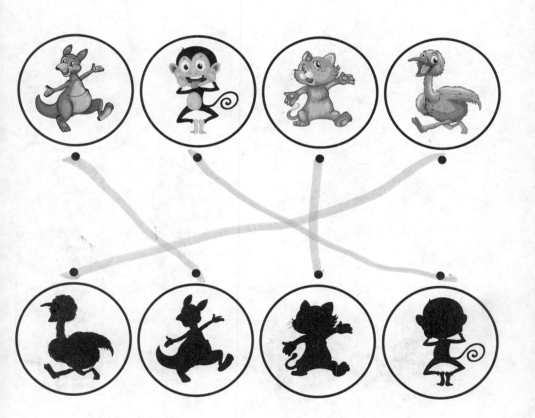

Le mouton noir

Entoure dans chaque rangée le plus grand dessin.

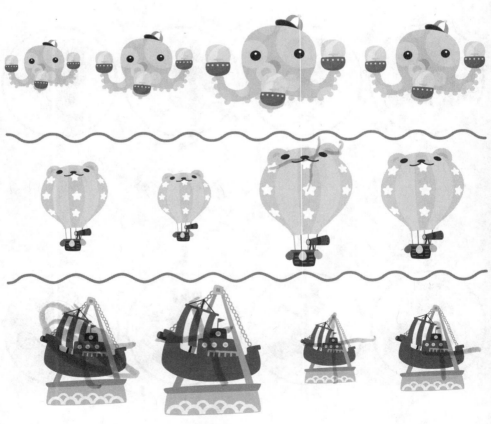

L'aventurier

Aide la maman baleine et trace le chemin qui mène jusqu'à son petit.

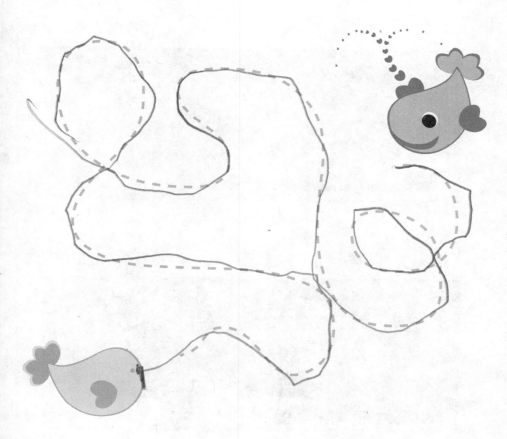

Les 4 erreurs

Regarde bien ces deux images.
Trouve les quatre différences
et entoure-les.

Le labyrinthe

Aide la petite fille à se rendre
jusqu'à son frère.

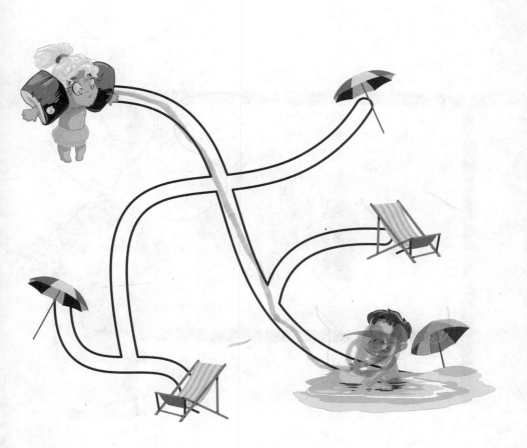

Jeu
155

Qui suis-je ?

Devine à quel félin appartient l'ombre.

Le mathématicien

Dans chaque rangée, entoure le nombre d'éléments qui correspond au chiffre de gauche.

La suite

Observe bien la suite ci-dessous. Complète la rangée en encerclant le dessin manquant.

L'identique

Associe les dessins
qui sont identiques.

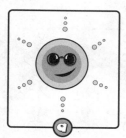

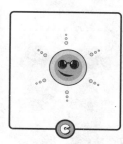

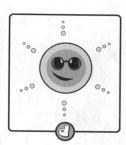

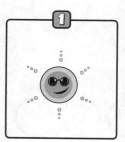

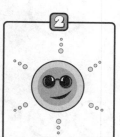

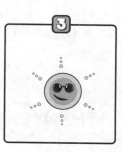

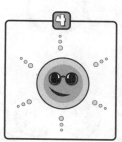

Jeu
159

La calculatrice

Écris le nombre d'éléments dans chaque case.

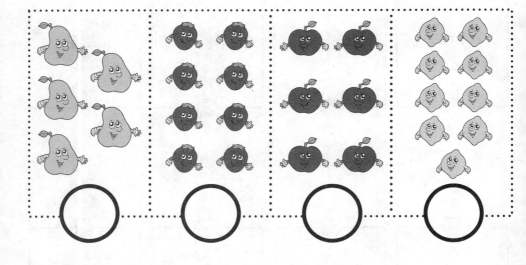

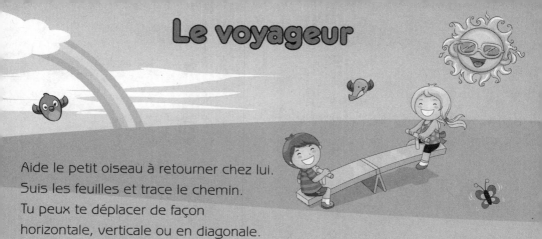

Le voyageur

Aide le petit oiseau à retourner chez lui.
Suis les feuilles et trace le chemin.
Tu peux te déplacer de façon
horizontale, verticale ou en diagonale.

Les doigts de la main

Entoure la main quand il y a 5 éléments dans la même rangée.

L'écrivain

Passe avec ton crayon sur les pointillés. Exerce-toi ensuite sans pointillés.

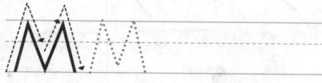

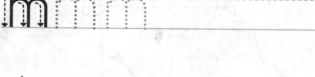

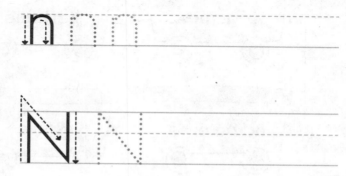

Le petit train

Entoure la lettre qui est écrite sur la locomotive dans chacun des mots du train.

Arrosoir

S

Short

Parasol

Légumes

Serviette

Barboteuse

Sable

Jeu
164

Émoticônes

Entoure 😟 quand le personnage est triste. Entoure 😃 quand le personnage est joyeux.

Le chercheur

Trouve les éléments de gauche dans le décor.

L'artiste

Retrace le dessin de gauche
à droite du palmier.

Dans tous les sens

Entoure un des deux objets identiques.
Si tu regardes la flèche qui se trouve
en dessous, tu trouveras quel objet tu dois entourer.

HAUT DROITE

Jeu
168

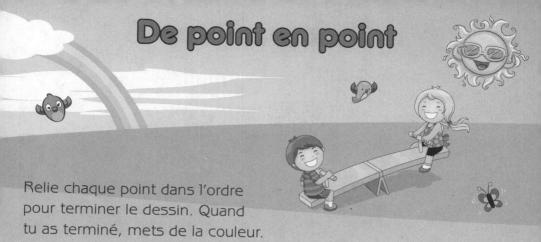

De point en point

Relie chaque point dans l'ordre pour terminer le dessin. Quand tu as terminé, mets de la couleur.

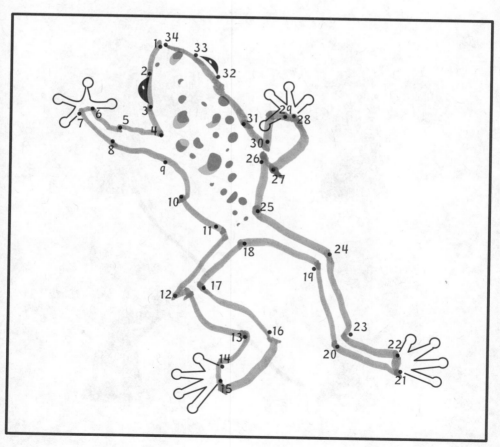

Les jumeaux

Encercle les deux images
qui sont identiques.

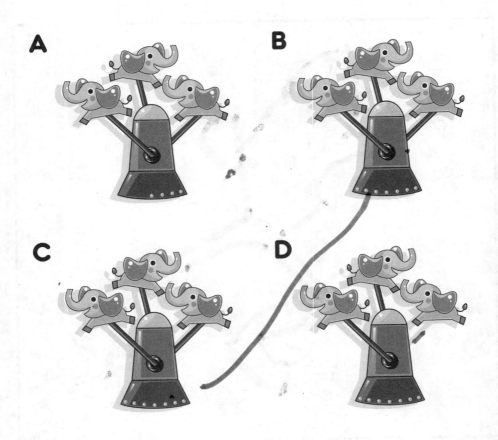

A

B

C

D

Symétrie

Complète l'image.

Le casse-tête

Trouve la partie manquante de l'image.

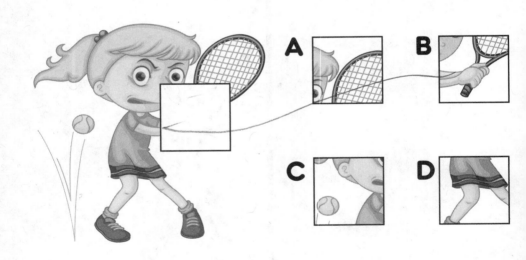

Dessin à colorier

Amuse-toi et mets de la couleur.

Les associations

Trouve et relie les légumes qui poussent dans le jardin.

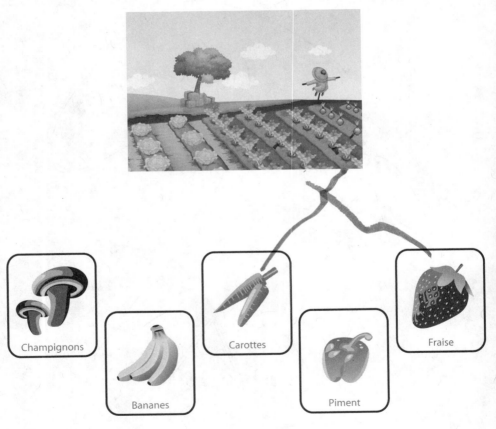

Champignons

Bananes

Carottes

Piment

Fraise

Les silhouettes

Relie chaque image
à sa silhouette.

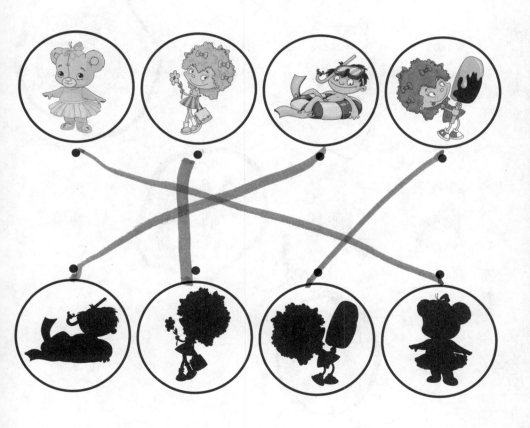

Le mouton noir

Entoure dans chaque rangée le plus grand dessin.

L'aventurier

Aide la maman oiseau et trace le
chemin qui mène jusqu'à ses petits.

Les 4 erreurs

Regarde bien ces deux images.
Trouve les quatre différences
et entoure-les.

Jeu
178

Le labyrinthe

Aide l'abeille travailleuse à se rendre jusqu'à son ami.

Qui suis-je ?

Devine à quel mammifère appartient l'ombre.

Le mathématicien

Dans chaque rangée,
entoure le nombre d'éléments qui
correspond au chiffre de gauche.

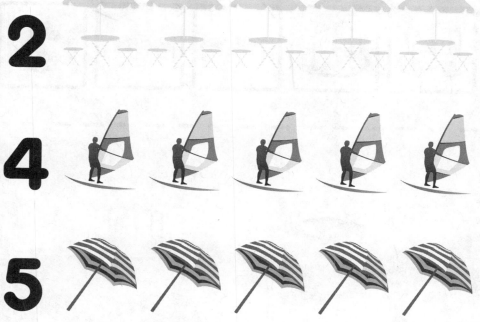

2

4

5

La suite

Observe bien la suite ci-dessous. Complète la rangée en encerclant le dessin manquant.

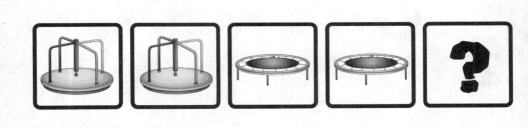

L'identique

Associe les dessins
qui sont identiques.

a

b

c

d

1

2

3

4

Jeu
183

La calculatrice

Écris le nombre d'éléments dans chaque case.

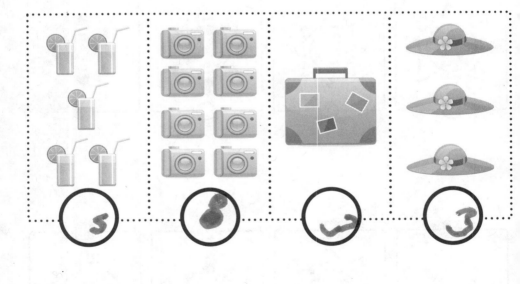

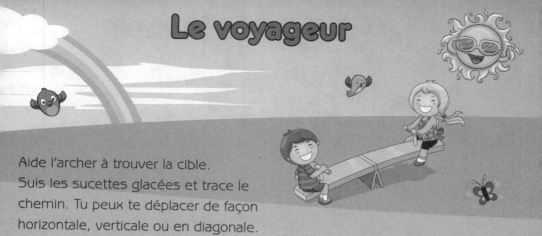

Le voyageur

Aide l'archer à trouver la cible.
Suis les sucettes glacées et trace le
chemin. Tu peux te déplacer de façon
horizontale, verticale ou en diagonale.

Les doigts de la main

Entoure la main quand il y a 5 éléments dans la même rangée.

Jeu
186

L'écrivain

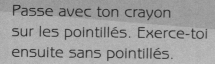

Passe avec ton crayon sur les pointillés. Exerce-toi ensuite sans pointillés.

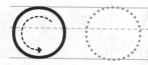

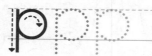

Le petit train

Entoure la lettre qui est écrite sur la locomotive dans chacun des mots du train.

Montagne

g

Déménagement

Rigolade

Plage

Guimauve

Glissades

Potager

Émoticônes

Entoure 😦 quand le personnage est triste. Entoure 😀 quand le personnage est joyeux.

Jeu 189

Le chercheur

Trouve les éléments de gauche dans le décor.

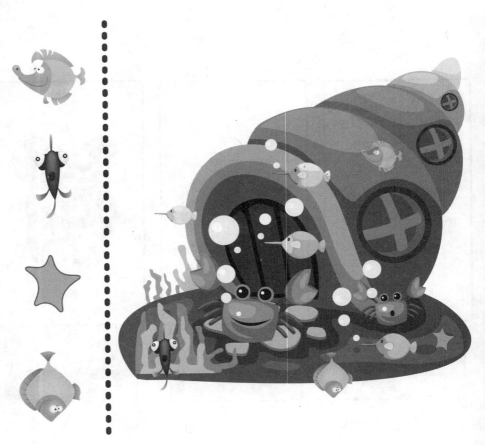

L'artiste

Retrace le dessin de gauche
à droite du palmier.

Dans tous les sens

Entoure un des deux objets identiques.
Si tu regardes la flèche qui se trouve
en dessous, tu trouveras quel objet tu dois entourer.

HAUT GAUCHE

De point en point

Relie chaque point dans l'ordre
pour terminer le dessin. Quand
tu as terminé, mets de la couleur.

Jeu
193

Les jumeaux

Encercle les deux images
qui sont identiques.

A

B

C

D

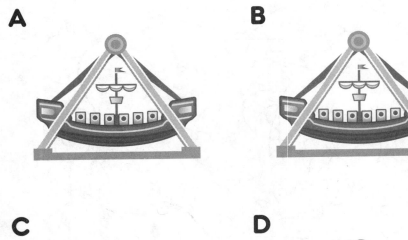

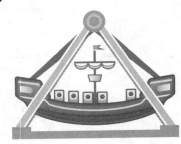

Symétrie

Complète l'image.

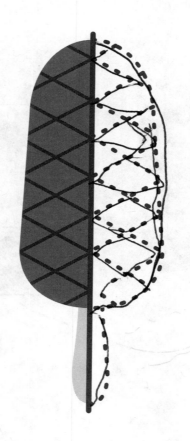

Le casse-tête

Trouve la partie
manquante de l'image.

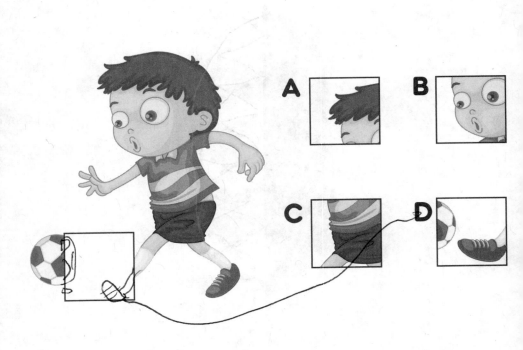

Amuse-toi et mets de la couleur.

Trouve et relie les sports d'équipe qui se jouent l'été.

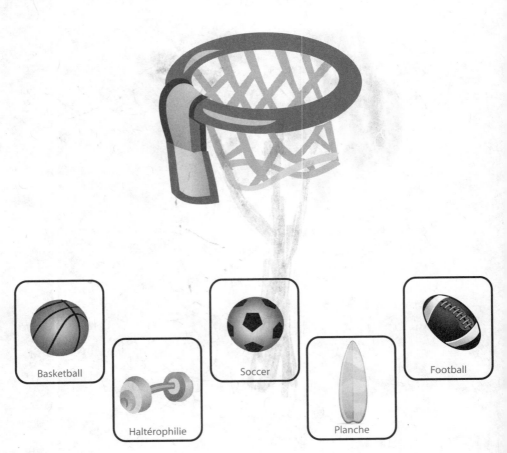

Basketball

Haltérophilie

Soccer

Planche

Football

Les silhouettes

Relie chaque image
à sa silhouette.

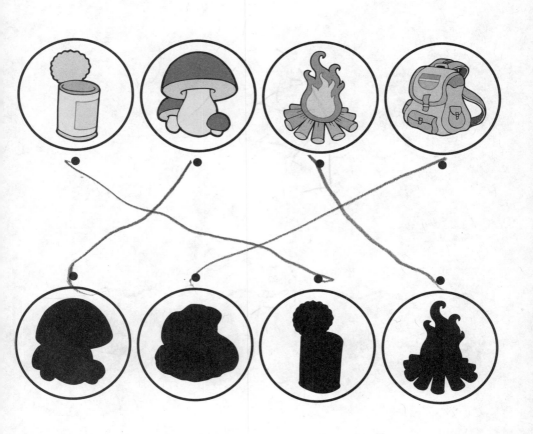

Le mouton noir

Entoure dans chaque rangée le plus grand dessin.

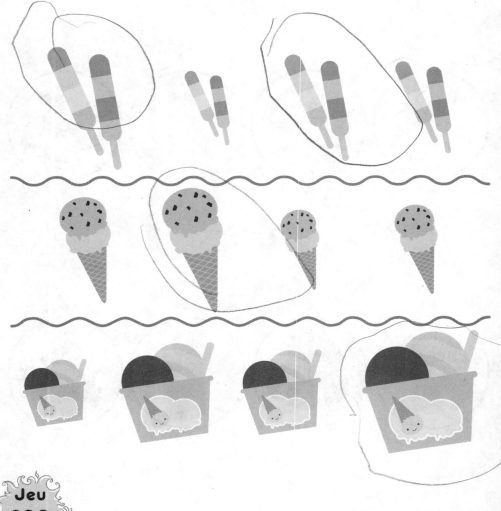

L'aventurier

Aide le petit papillon et trace le chemin
qui mène jusqu'au gros papillon.

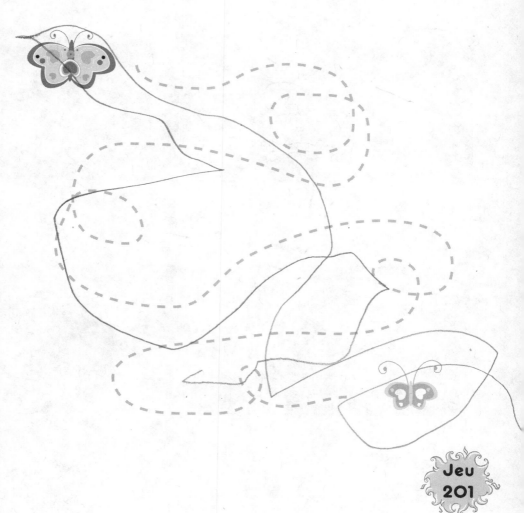

Les 4 erreurs

Regarde bien ces deux images.
Trouve les quatre différences
et entoure-les.

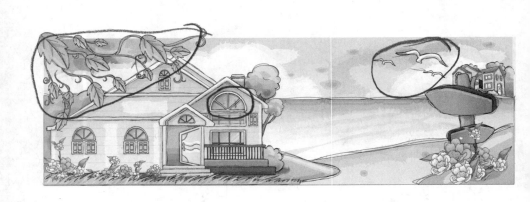

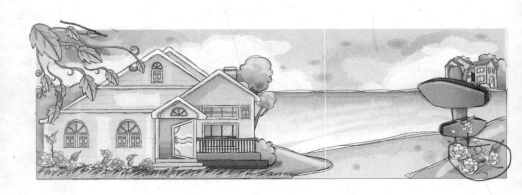

Jeu
202

Le labyrinthe

Aide la fillette sur la bouée à se rendre jusqu'à son amie sur le matelas.

Qui suis-je ?

Devine à quel mammifère appartient l'ombre.

Le mathématicien

Dans chaque rangée, entoure le nombre d'éléments qui correspond au chiffre de gauche.

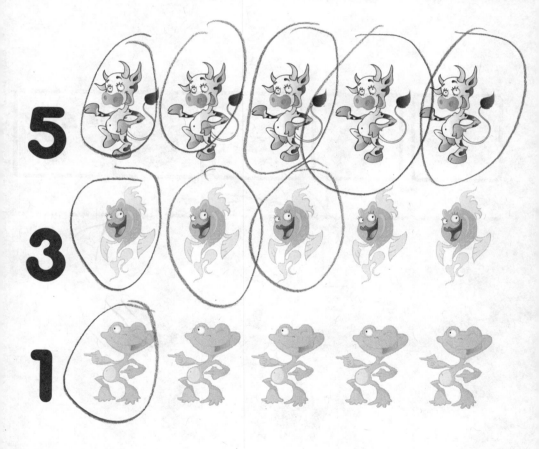

La suite

Observe bien la suite ci-dessous. Complète la rangée en encerclant le dessin manquant.

L'identique

Associe les dessins
qui sont identiques.

a b c d

1 2 3 4

La calculatrice

Écris le nombre d'éléments dans chaque case.

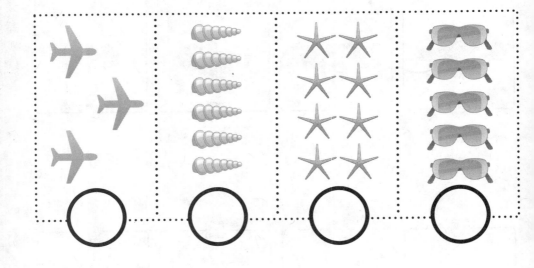

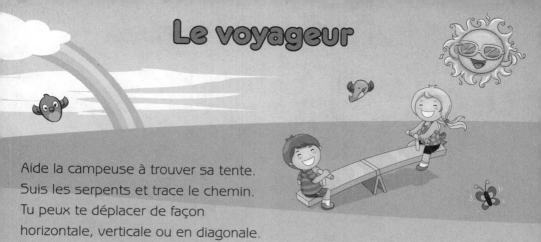

Le voyageur

Aide la campeuse à trouver sa tente.
Suis les serpents et trace le chemin.
Tu peux te déplacer de façon
horizontale, verticale ou en diagonale.

Les doigts de la main

Entoure la main quand il y a 5 éléments dans la même rangée.

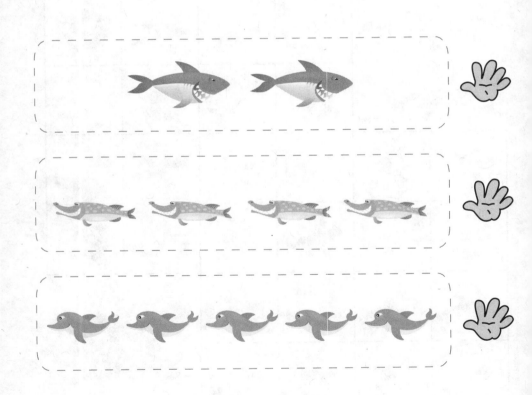

L'écrivain

Passe avec ton crayon sur les pointillés. Exerce-toi ensuite sans pointillés.

Le petit train

Entoure la lettre qui est écrite sur la locomotive dans chacun des mots du train.

Camisole

C

Piscine

Saucisses

Barbecue

Échelle

Clôture

Pêche

Émoticônes

Entoure 😟 quand le personnage est triste. Entoure 😀 quand le personnage est joyeux.

Le chercheur

Trouve les éléments
de gauche dans le décor.

L'artiste

Retrace le dessin de gauche à droite du palmier.

Dans tous les sens

Entoure un des deux objets identiques.
Si tu regardes la flèche qui se trouve
en dessous, tu trouveras quel objet tu dois entourer.

DROITE

Jeu
216

De point en point

Relie chaque point dans l'ordre pour terminer le dessin. Quand tu as terminé, mets de la couleur.

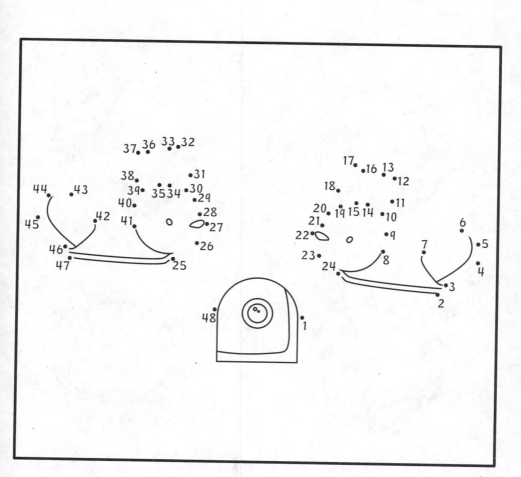

Les jumeaux

Encercle les deux images
qui sont identiques.

A

B

C

D

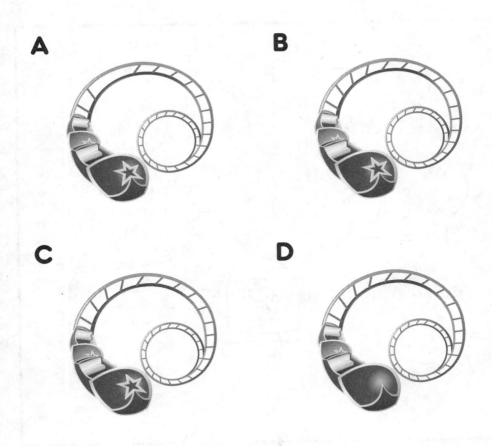

Symétrie

Complète l'image.

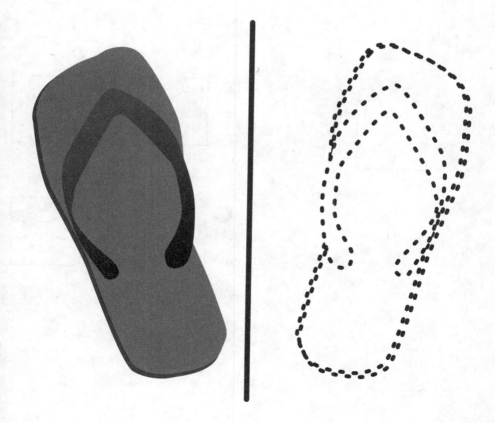

Le casse-tête

Trouve la partie manquante de l'image.

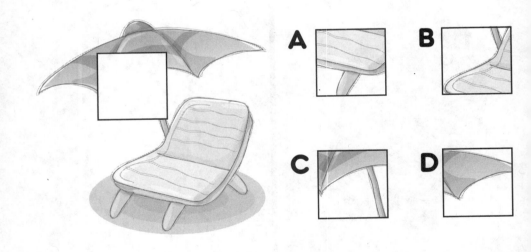

Dessin à colorier

Amuse-toi et mets de la couleur.

Les associations

Trouve et relie ce qui est en rapport avec la piscine.

Hockey

Chapeau

Jus de fruits

Ballon

Courir

Les silhouettes

Relie chaque image
à sa silhouette.

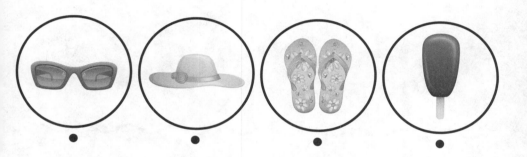

Le mouton noir

Entoure dans chaque rangée le plus grand dessin.

L'aventurier

Aide le papillon et trace le chemin
qui mène jusqu'aux fleurs.

Les 4 erreurs

Regarde bien ces deux images.
Trouve les quatre différences
et entoure-les.

Jeu
226

Le labyrinthe

Aide la fillette à se rendre jusqu'à son ami dans l'eau.

Qui suis-je ?

Devine à quel insecte appartient l'ombre.

Le mathématicien

Dans chaque rangée,
entoure le nombre d'éléments qui
correspond au chiffre de gauche.

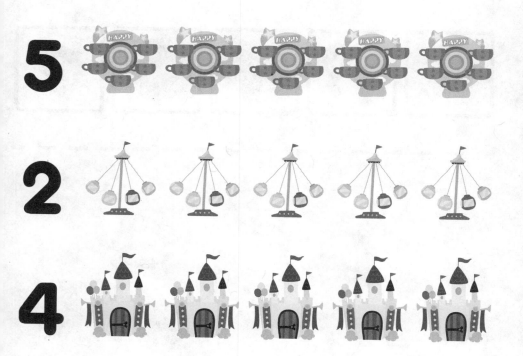

La suite

Observe bien la suite ci-dessous. Complète la rangée en encerclant le dessin manquant.

L'identique

Associe les dessins
qui sont identiques.

La calculatrice

Écris le nombre d'éléments dans chaque case.

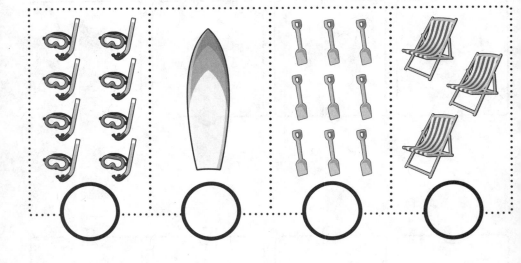

Le voyageur

Aide le jeune pirate à retrouver son ami.
Suis les boussoles et trace le chemin.
Tu peux te déplacer de façon
horizontale, verticale ou en diagonale.

Les doigts de la main

Entoure la main quand il y a
5 éléments dans la même rangée.

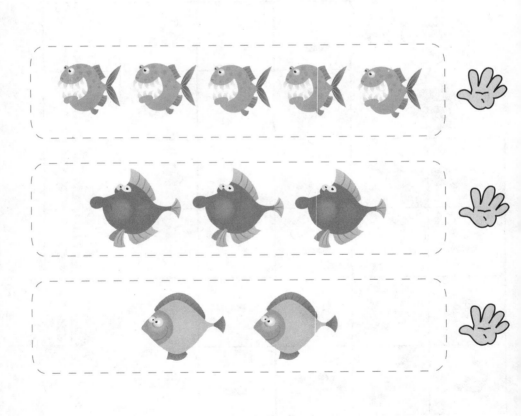

L'écrivain

Passe avec ton crayon
sur les pointillés. Exerce-toi
ensuite sans pointillés.

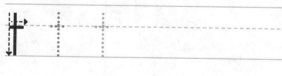

Le petit train

Entoure la lettre qui est écrite sur la locomotive dans chacun des mots du train.

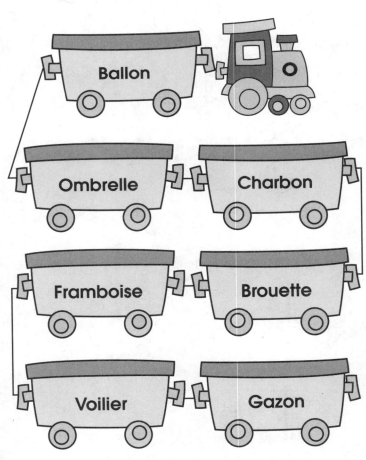

Ballon

Ombrelle

Charbon

Framboise

Brouette

Voilier

Gazon

Émoticônes

Entoure 😦 quand le personnage est triste. Entoure 😃 quand le personnage est joyeux.

Le chercheur

Trouve les éléments de gauche dans le décor.

L'artiste

Retrace le dessin de gauche
à droite du palmier.

Dans tous les sens

Entoure un des deux objets identiques.
Si tu regardes la flèche qui se trouve
en dessous, tu trouveras quel objet tu dois entourer.

BAS DROITE

Jeu
240

De point en point

Relie chaque point dans l'ordre pour terminer le dessin. Quand tu as terminé, mets de la couleur.

Encercle les deux images
qui sont identiques.

A   B

C   D

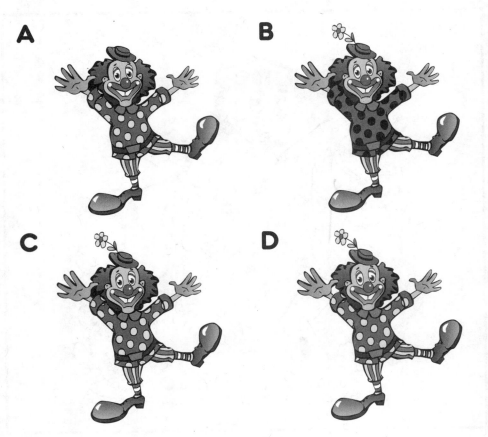

Jeu
242

Symétrie

Complète l'image.

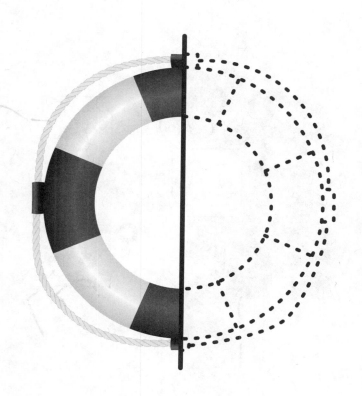

Le casse-tête

Trouve la partie manquante de l'image.

A **B**

 C **D**

Jeu
244

Dessin à colorier

Amuse-toi et mets de la couleur.

Les associations

Trouve et relie les fêtes qui ne sont pas célébrées en été.

Pâques

Halloween

Noël

Saint-Jean-Baptiste

Saint-Valentin

Jeu
246

Les silhouettes

Relie chaque image
à sa silhouette.

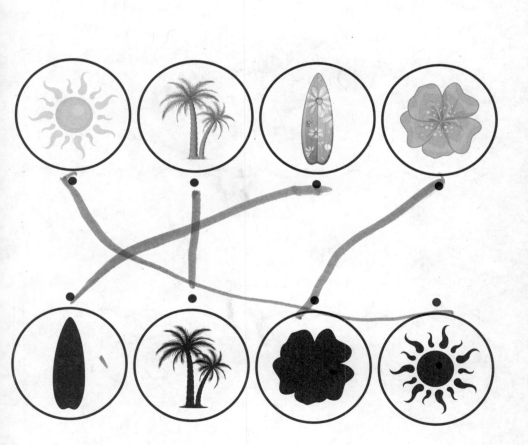

Le mouton noir

Entoure dans chaque rangée le plus grand dessin.

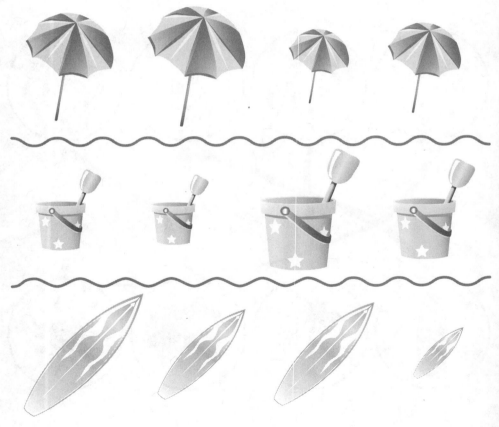

L'aventurier

Aide l'oiseau et trace le chemin qui mène jusqu'à l'autre nuage.

Les 4 erreurs

Regarde bien ces deux images.
Trouve les quatre différences
et entoure-les.

Jeu
250

Le labyrinthe

Aide l'observatrice à se rendre
jusqu'à la coccinelle.

Qui suis-je ?

Devine à quel moyen de transport appartient l'ombre.

Le mathématicien

Dans chaque rangée, entoure le nombre d'éléments qui correspond au chiffre de gauche.

3

1

2

La suite

Observe bien la suite ci-dessous. Complète la rangée en encerclant le dessin manquant.

L'identique

Associe les dessins
qui sont identiques.

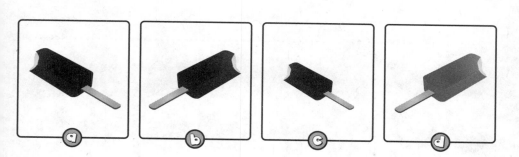

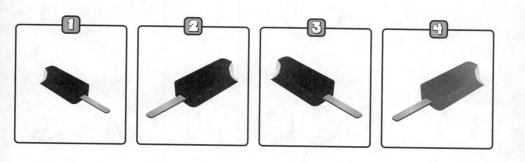

La calculatrice

Écris le nombre d'éléments dans chaque case.

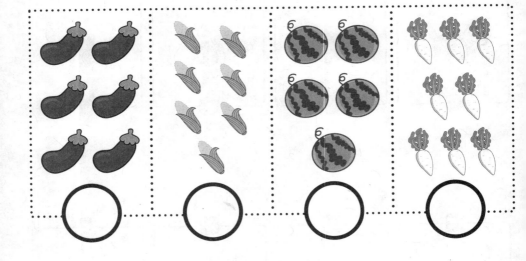

Le voyageur

Aide la fillette à retrouver sa maman.
Suis les bouées et trace le chemin.
Tu peux te déplacer de façon
horizontale, verticale ou en diagonale.

Les doigts de la main

Entoure la main quand il y a
5 éléments dans la même rangée.

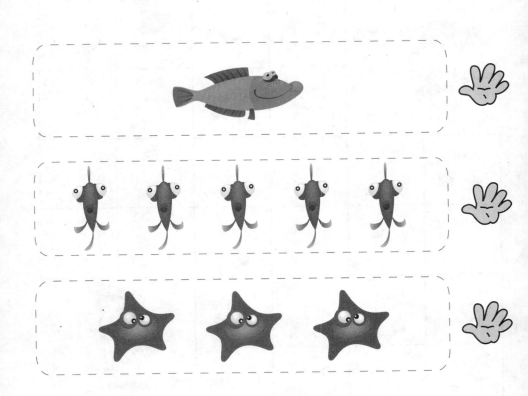

Jeu
258

L'écrivain

Passe avec ton crayon
sur les pointillés. Exerce-toi
ensuite sans pointillés.

Le petit train

Entoure la lettre qui est écrite sur la locomotive dans chacun des mots du train.

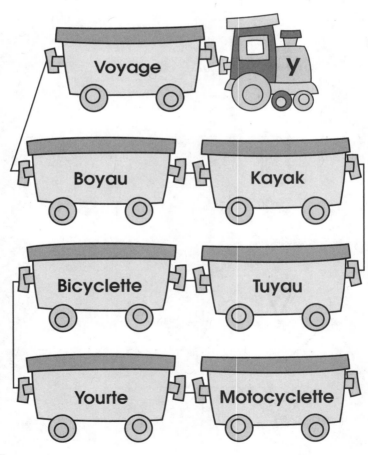

Voyage

y

Boyau

Kayak

Bicyclette

Tuyau

Yourte

Motocyclette

Émoticônes

Entoure 😞 quand le personnage est triste. Entoure 😊 quand le personnage est joyeux.

Le chercheur

Trouve les éléments
de gauche dans le décor.

L'artiste

Retrace le dessin de gauche
à droite du palmier.

Dans tous les sens

Entoure un des deux objets identiques.
Si tu regardes la flèche qui se trouve
en dessous, tu trouveras quel objet tu dois entourer.

GAUCHE

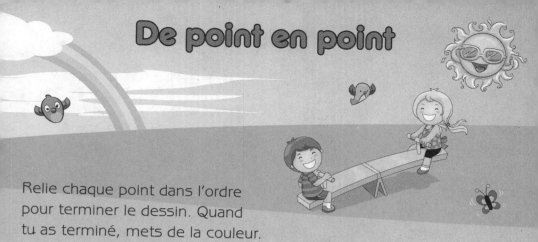

De point en point

Relie chaque point dans l'ordre pour terminer le dessin. Quand tu as terminé, mets de la couleur.

Jeu
265

Les jumeaux

Encercle les deux images
qui sont identiques.

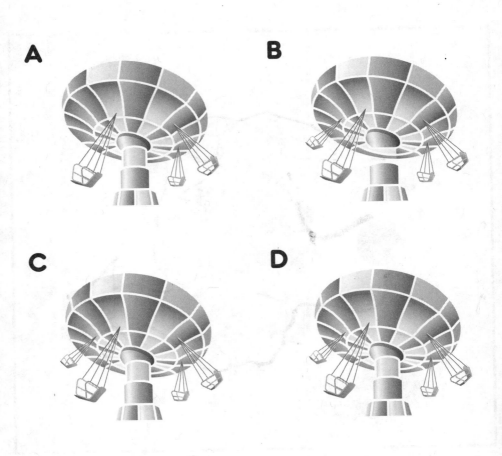

A

B

C

D

Complète l'image.

Jeu
267

Le casse-tête

Trouve la partie
manquante de l'image.

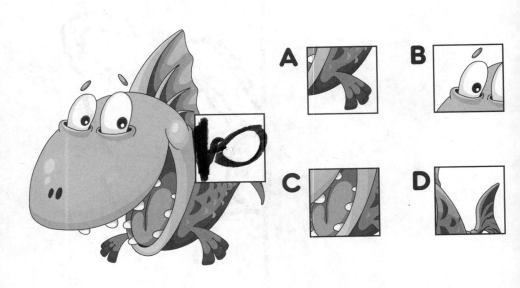

A

B

C

D

Dessin à colorier

Amuse-toi et mets de la couleur.

Les associations

Trouve et relie ce que tu ne fais pas l'été.

Glissoire

Patin à glace

Ski

Bonhomme de neige

Bac à sable

Jeu 270

Les silhouettes

Relie chaque image
à sa silhouette.

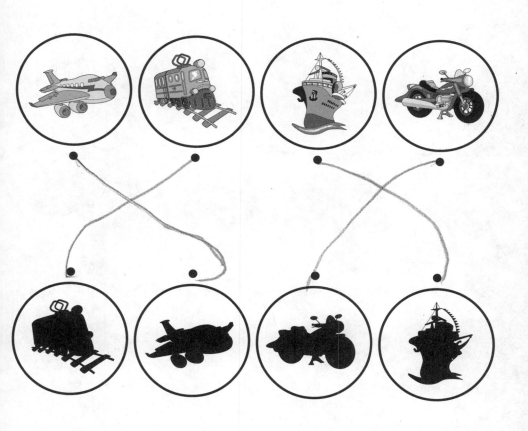

Le mouton noir

Entoure dans chaque rangée le plus grand dessin.

L'aventurier

Aide le garçon et trace le chemin
qui mène jusqu'à la fillette.

Les 4 erreurs

Regarde bien ces deux images.
Trouve les quatre différences
et entoure-les.

Le labyrinthe

Aide l'oiseau à se rendre
jusqu'à ses petits.

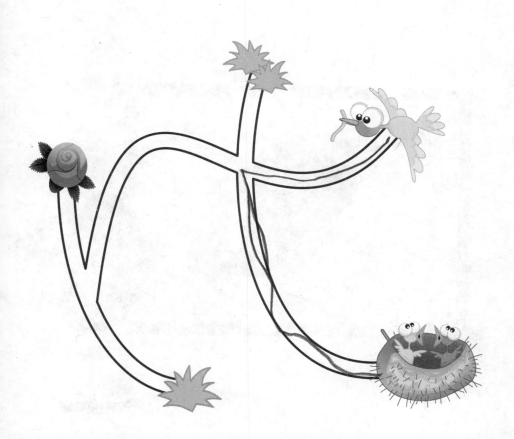

Qui suis-je ?

Devine à quel insecte appartient l'ombre.

Le mathématicien

Dans chaque rangée,
entoure le nombre d'éléments qui
correspond au chiffre de gauche.

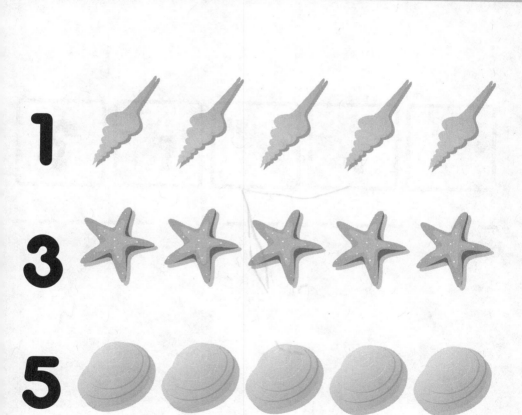

La suite

Observe bien la suite ci-dessous. Complète la rangée en encerclant le dessin manquant.

L'identique

Associe les dessins
qui sont identiques.

Jeu
279

La calculatrice

Écris le nombre d'éléments dans chaque case.

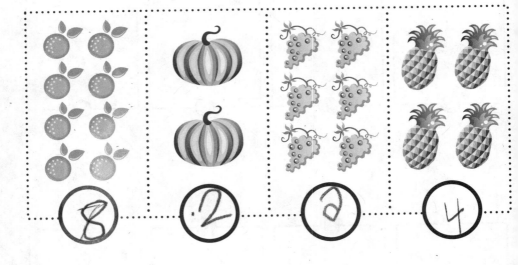

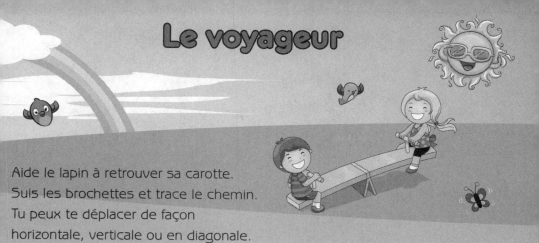

Le voyageur

Aide le lapin à retrouver sa carotte.
Suis les brochettes et trace le chemin.
Tu peux te déplacer de façon
horizontale, verticale ou en diagonale.

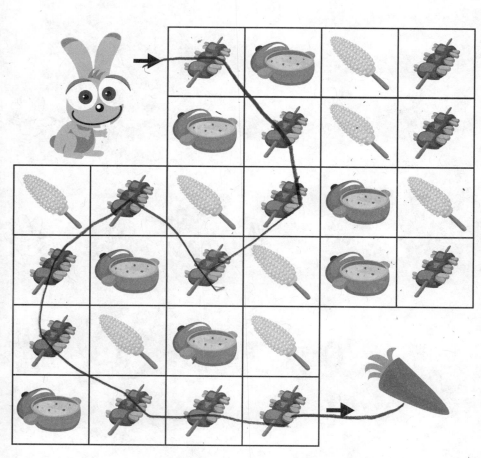

Les doigts de la main

Entoure la main quand il y a 5 éléments dans la même rangée.

Jeu
282

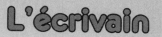

L'écrivain

Passe avec ton crayon
sur les pointillés. Exerce-toi
ensuite sans pointillés.

Le petit train

Entoure la lettre qui est écrite sur la locomotive dans chacun des mots du train.

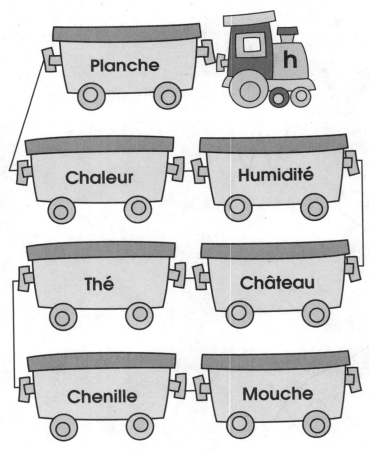

Planche

h

Chaleur

Humidité

Thé

Château

Chenille

Mouche

Jeu
284

Émoticônes

Entoure 😮 quand le personnage est triste. Entoure 😃 quand le personnage est joyeux.

Le chercheur

Trouve les éléments de gauche dans le décor.

L'artiste

Retrace le dessin de gauche
à droite du palmier.

Jeu
287

Dans tous les sens

Entoure un des deux objets identiques.
Si tu regardes la flèche qui se trouve
en dessous, tu trouveras quel objet tu dois entourer.

DROITE

De point en point

Relie chaque point dans l'ordre
pour terminer le dessin. Quand
tu as terminé, mets de la couleur.

Les jumeaux

Encercle les deux images qui sont identiques.

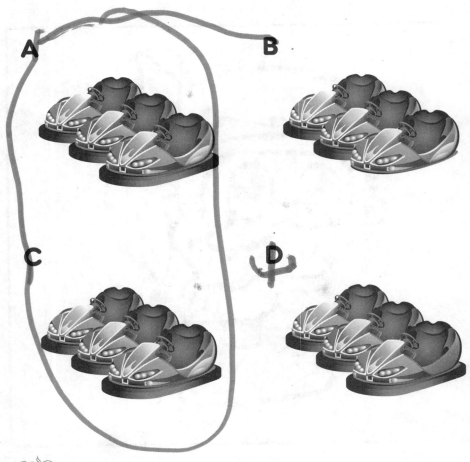

A

B

C

D

Complète l'image.

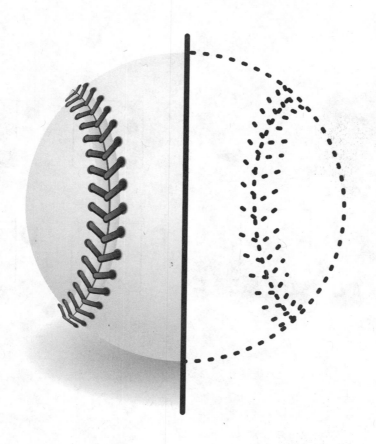

Le casse-tête

Trouve la partie manquante de l'image.

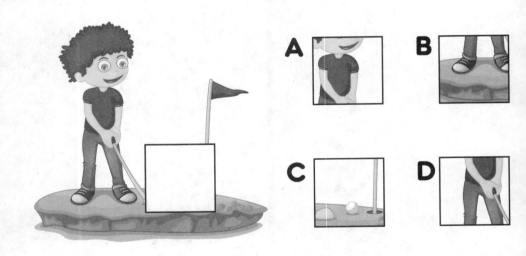

A

B

C

D

Dessin à colorier

Amuse-toi et mets de la couleur.

Les associations

Trouve et relie les vêtements
que l'on ne porte pas en été

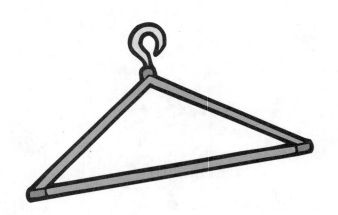

Jupe

Mitaines

Bottes

Robe

Foulard

Les silhouettes

Relie chaque image
à sa silhouette.

Le mouton noir

Entoure dans chaque rangée le plus grand dessin.

L'aventurier

Aide l'acrobate et trace le chemin
qui mène jusqu'à son ami.

Les 4 erreurs

Regarde bien ces deux images.
Trouve les quatre différences
et entoure-les.

Le labyrinthe

Aide l'abeille de gauche à se rendre
jusqu'à l'abeille de droite.

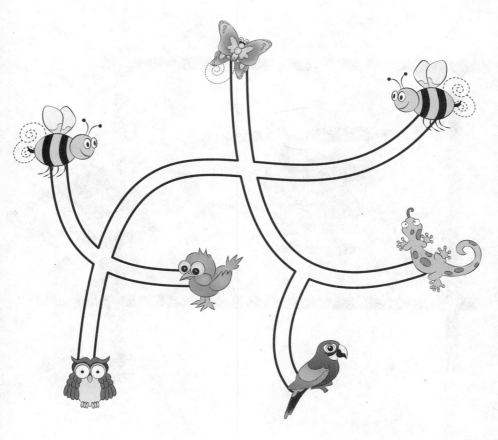

Qui suis-je ?

Devine à quel moyen de transport appartient l'ombre.

Le mathématicien

Dans chaque rangée,
entoure le nombre d'éléments qui
correspond au chiffre de gauche.

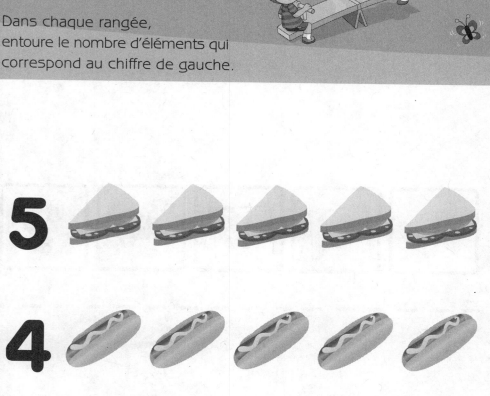

La suite

Observe bien la suite ci-dessous. Complète la rangée en encerclant le dessin manquant.

L'identique

Associe les dessins
qui sont identiques.

Jeu
303

La calculatrice

Écris le nombre d'éléments dans chaque case.

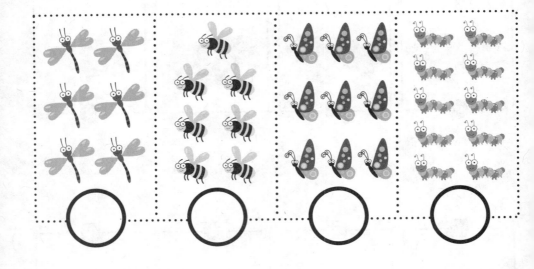

Le voyageur

Aide le kayakiste à rejoindre son ami.
Suis les ballons et trace le chemin.
Tu peux te déplacer de façon
horizontale, verticale ou en diagonale.

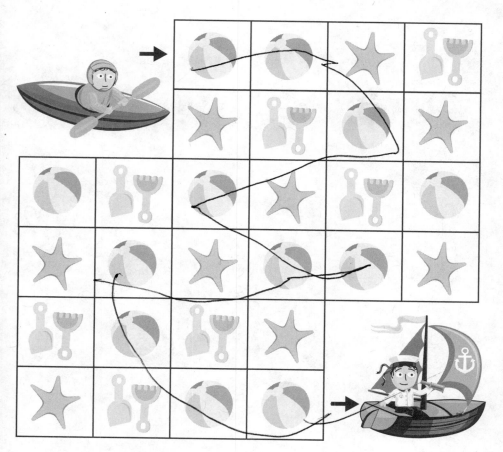

Les doigts de la main

Entoure la main quand il y a
5 éléments dans la même rangée.

L'écrivain

Passe avec ton crayon
sur les pointillés. Exerce-toi
ensuite sans pointillés.

Le petit train

Entoure la lettre qui est écrite sur la locomotive dans chacun des mots du train.

Canicule

n

Montgolfière

Pique-nique

Tente

Lunette

Canot

Vacances

Jeu
308

Émoticônes

Entoure  quand le personnage est triste. Entoure 🙂 quand le personnage est joyeux.

Le chercheur

Trouve les éléments
de gauche dans le décor.

L'artiste

Retrace le dessin de gauche
à droite du palmier.

Dans tous les sens

Entoure un des deux objets identiques.
Si tu regardes la flèche qui se trouve
en dessous, tu trouveras quel objet tu dois entourer.

HAUT DROITE

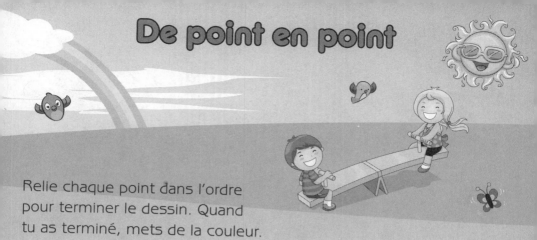

De point en point

Relie chaque point dans l'ordre
pour terminer le dessin. Quand
tu as terminé, mets de la couleur.

Jeu
313

Les jumeaux

Encercle les deux images qui sont identiques.

A

B

C

D

Symétrie

Complète l'image.

Le casse-tête

Trouve la partie
manquante de l'image.

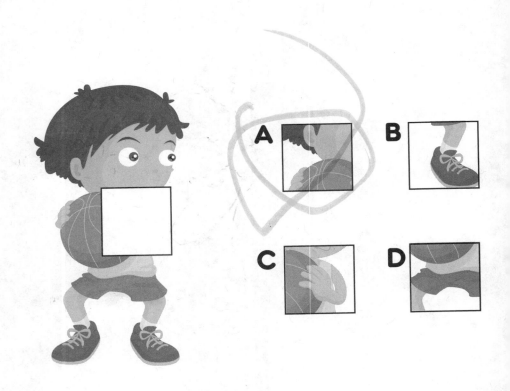

Jeu
316

Dessin à colorier

Amuse-toi et mets de la couleur.

Les associations

Trouve et relie les jeux
que tu retrouves au parc.

Arbre

Bac à sable

Balançoire

Glissoire

Soleil

Les silhouettes

Relie chaque image
à sa silhouette.

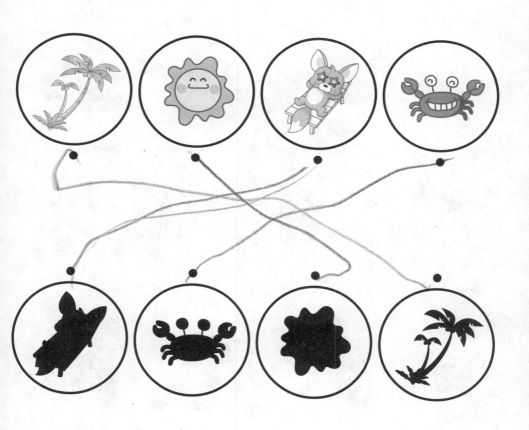

Le mouton noir

Entoure dans chaque rangée le plus grand dessin.

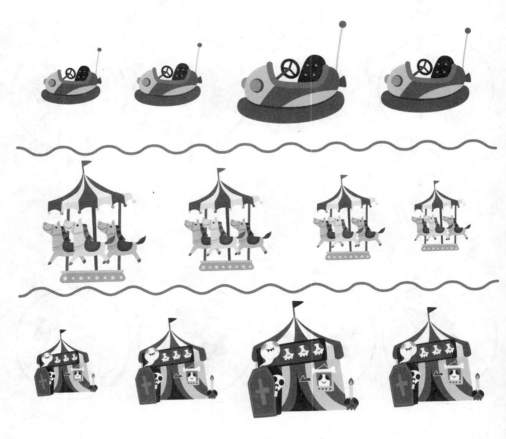

L'aventurier

Aide le garçon et trace le chemin
qui mène jusqu'à la glissoire.

Les 4 erreurs

Regarde bien ces deux images.
Trouve les quatre différences
et entoure-les.

Le labyrinthe

Aide la jeune fille à se rendre
jusqu'à son petit frère.

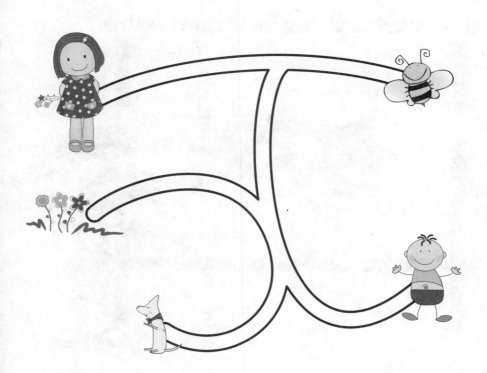

Qui suis-je ?

Devine à quel moyen de transport appartient l'ombre.

Le mathématicien

Dans chaque rangée,
entoure le nombre d'éléments qui
correspond au chiffre de gauche.

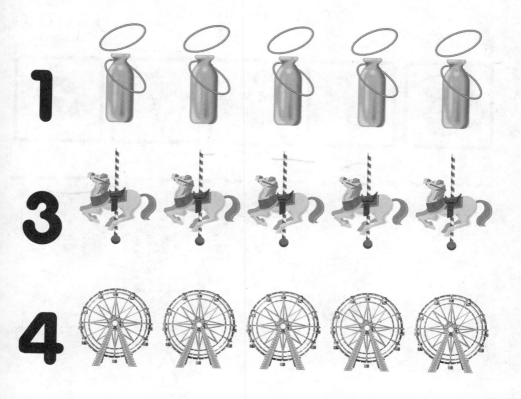

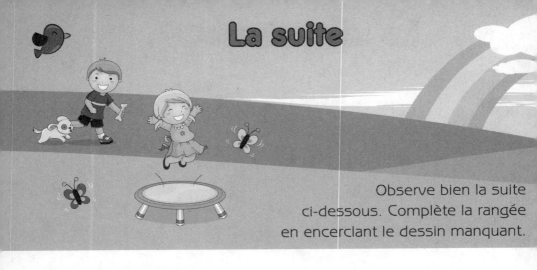

La suite

Observe bien la suite ci-dessous. Complète la rangée en encerclant le dessin manquant.

L'identique

Associe les dessins qui sont identiques.

a b c d

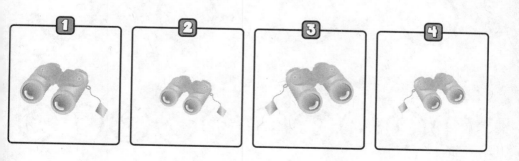

1 2 3 4

La calculatrice

Écris le nombre d'éléments dans chaque case.

1 2 3 4 5 6 7 8 9 10

Le voyageur

Aide la campeuse à retrouver son ami musicien. Suis les notes de musique et trace le chemin. Tu peux te déplacer de façon horizontale, verticale ou en diagonale.

Jeu
329

Entoure la main quand il y a 5 éléments dans la même rangée.

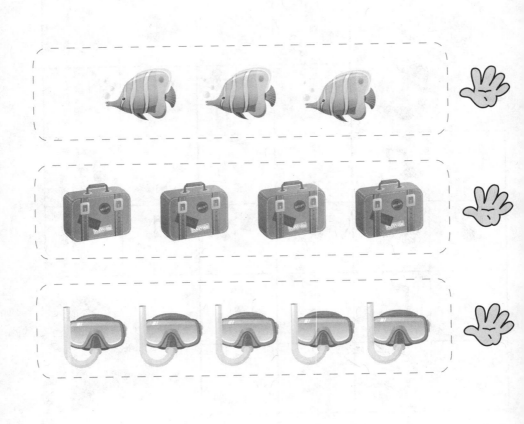

L'écrivain

Passe avec ton crayon
sur les pointillés. Exerce-toi
ensuite sans pointillés.

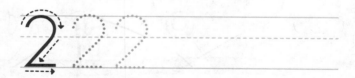

Le petit train

Entoure la lettre qui est écrite sur la locomotive dans chacun des mots du train.

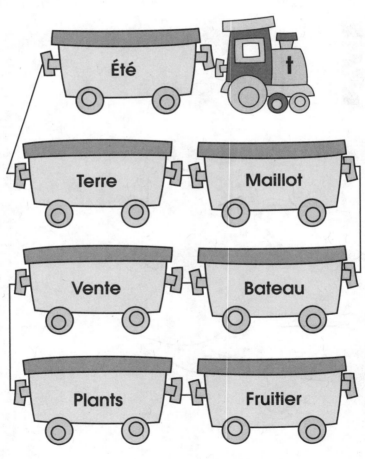

Émoticônes

Entoure  quand le personnage est triste. Entoure  quand le personnage est joyeux.

Le chercheur

Trouve les éléments
de gauche dans le décor.

L'artiste

Retrace le dessin de gauche
à droite du palmier.

Dans tous les sens

Entoure un des deux objets identiques.
Si tu regardes la flèche qui se trouve
en dessous, tu trouveras quel objet tu dois entourer.

HAUT GAUCHE

Jeu
336

Symétrie

Complète l'image.

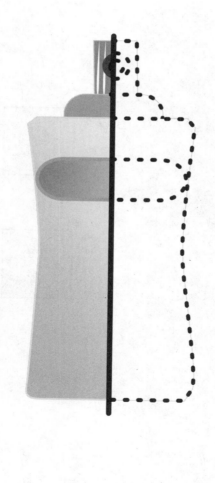

Le casse-tête

Trouve la partie manquante de l'image.

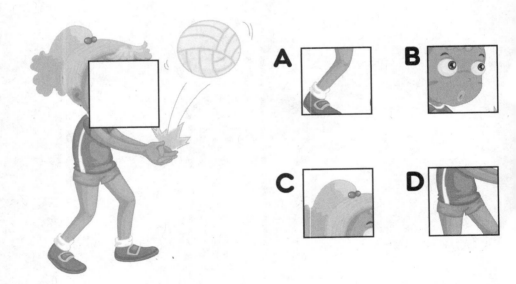

A

B

C

D

Dessin à colorier

Amuse-toi et mets de la couleur.

Les associations

Trouve et relie ce que tu apportes en camping.

Lampe de poche

Feu

Boussole

Hibou

Sac à dos

Les silhouettes

Relie chaque image
à sa silhouette.

Le mouton noir

Entoure dans chaque
rangée le plus grand dessin.

L'aventurier

Aide la voiture et trace le chemin
qui mène jusqu'à la maison.

Les 4 erreurs

Regarde bien ces deux images.
Trouve les quatre différences
et entoure-les.

Le labyrinthe

Aide la famille à se rendre
jusqu'à sa maison.

Qui suis-je ?

Devine à quel reptile appartient l'ombre.

Le mathématicien

Dans chaque rangée,
entoure le nombre d'éléments qui
correspond au chiffre de gauche.

La suite

Observe bien la suite ci-dessous. Complète la rangée en encerclant le dessin manquant.

L'identique

Associe les dessins qui sont identiques.

a   b   c   d

1   2   3   4

La calculatrice

Écris le nombre d'éléments dans chaque case.

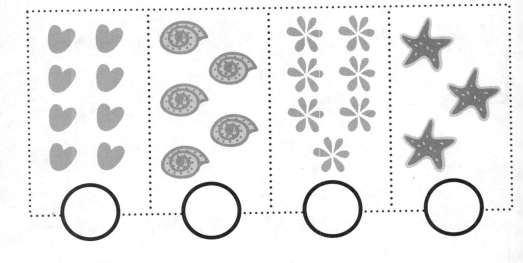

Le voyageur

Aide le garçon à retrouver son amie. Suis les paniers de basketball et trace le chemin. Tu peux te déplacer de façon horizontale, verticale ou en diagonale.

Les doigts de la main

Entoure la main quand il y a 5 éléments dans la même rangée.

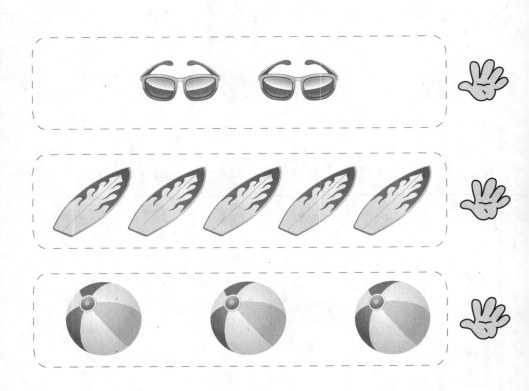

L'écrivain

Passe avec ton crayon sur les pointillés. Exerce-toi ensuite sans pointillés.

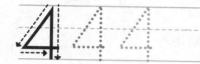

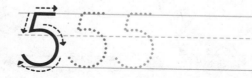

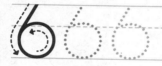

Le petit train

Entoure la lettre qui est écrite sur la locomotive dans chacun des mots du train.

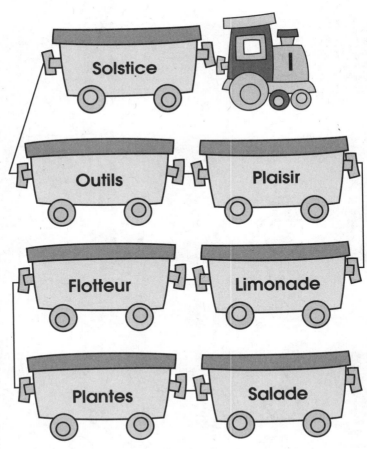

Solstice

Outils

Plaisir

Flotteur

Limonade

Plantes

Salade

Émoticônes

Entoure 😞 quand le personnage est triste. Entoure 😃 quand le personnage est joyeux.

Le chercheur

Trouve les éléments de gauche dans le décor.

L'artiste

Retrace le dessin de gauche
à droite du palmier.

Dans tous les sens

Entoure un des deux objets identiques.
Si tu regardes la flèche qui se trouve
en dessous, tu trouveras quel objet tu dois entourer.

BAS GAUCHE

Jeu
360

De point en point

Relie chaque point dans l'ordre
pour terminer le dessin. Quand
tu as terminé, mets de la couleur.

Les jumeaux

Encercle les deux images qui sont identiques.

A

B

C

D

Symétrie

Complète l'image.

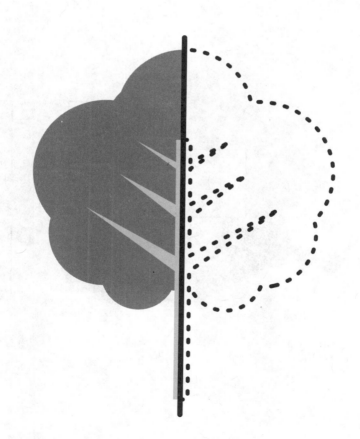

Le casse-tête

Trouve la partie manquante de l'image.

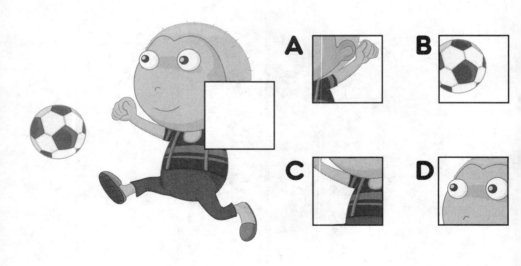

Jeu
364

Dessin à colorier

Amuse-toi et mets de la couleur.

SOLUTiONS

Solutions

2

A et B

4

6

7

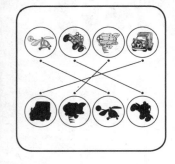

8

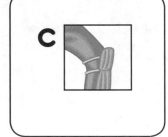

10

11

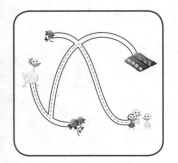

12

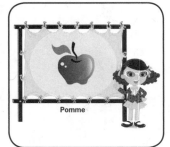

Pomme

13

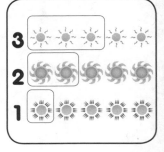

14

15

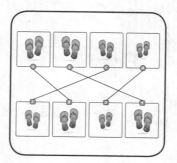

16

17

18

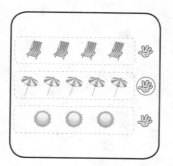

20

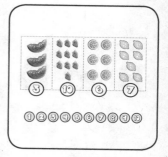

Feu   u

Boussole   Goude

Bouce   Bleuets

Tondeuse   Maringouin

21

22

24

BAS GAUCHE

Solutions

26

B et D

28

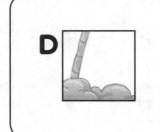

30

31

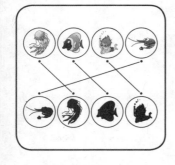

32

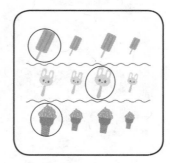

34

35

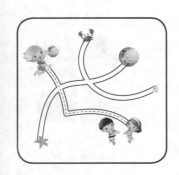

36

Bananes

37

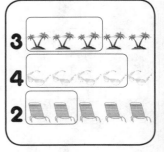

Solutions

38

39

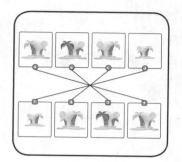

40

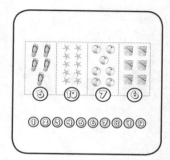

41

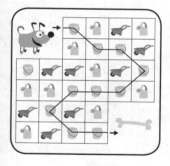

42

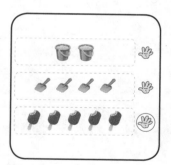

44

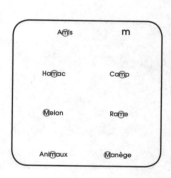

45

46

48

HAUT GAUCHE

50

A et C

52

54

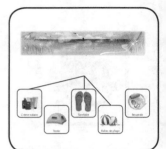

55

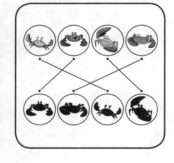

56

58

59

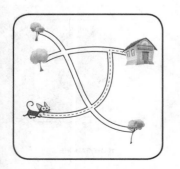

60

61

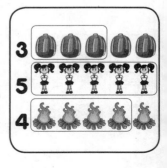

62

63

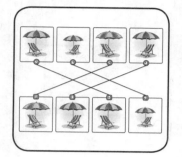

64

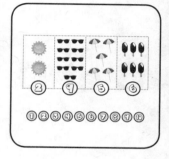

65

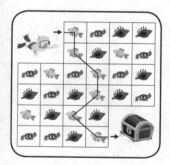

66

68

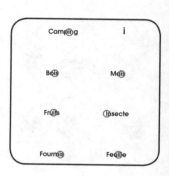

Camping   i

Bois   Mais

Fruits   Insecte

Fourmi   Feuille

69

70

72

BAS

74

C et D

76

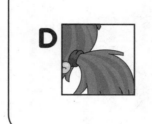

78

79

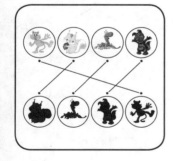

80

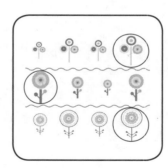

82

83

84

Singe

85

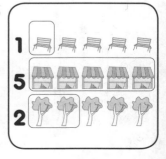

Solutions

86

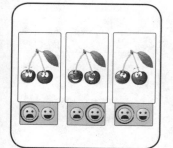

87

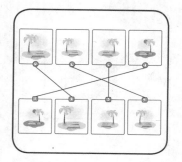

88

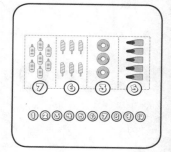

89

90

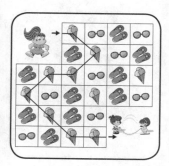

92

Se@u   a

@rbuste   G@çon

F@ise   P@pillon

@beille   Festiv@l

93

94

96

DROITE

Solutions

98

C et D

100

B

102

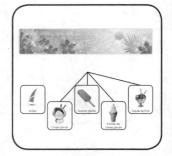

103

104

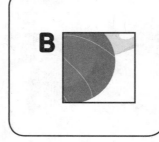

106

107

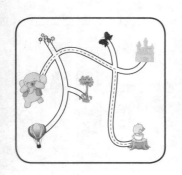

108

Coq

109

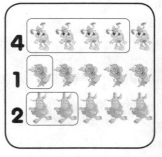

4
1
2

Solutions

110

111
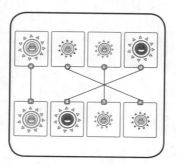

112
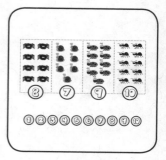

113
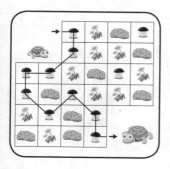

114

116
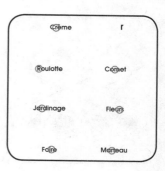

Crème · r

Roulotte · Cornet

Jardinage · Fleurs

Faire · Manteau

117

118

120

GAUCHE

122

B et D

124

A

126

127

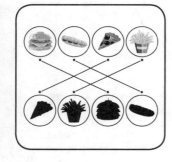

128

130

131

132

Crocodile

133

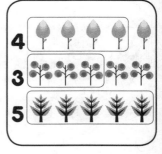

Solutions

134

135

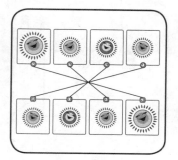

136

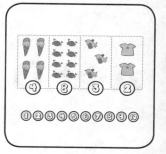

137

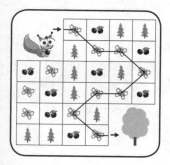

138

140

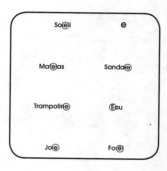

Soleil   e

Ma**e**as   Sandale

Trampolin**e**   Eau

Jo**e**   For**ê**

141

142

144

GAUCHE

Solutions

146

A et D

148

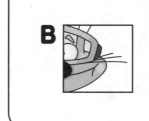

150

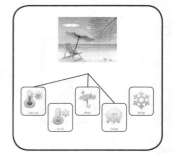

151

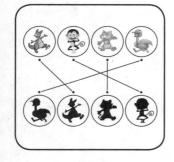

152

154

155

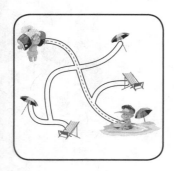

156

Lion

157

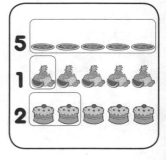

158

159

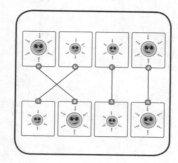

160

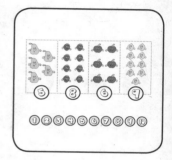

161

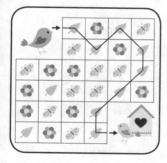

162

164

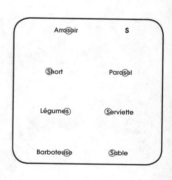

165

166

168

HAUT DROITE

Solutions

170

B et C

172

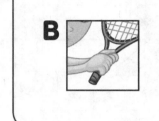

174

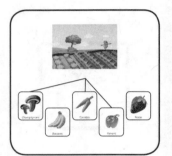

175

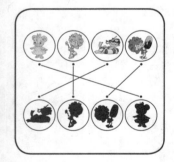

176

178

179

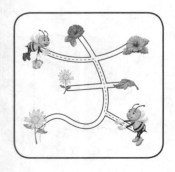

180

Girafe

181

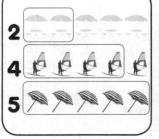

Solutions

182

183

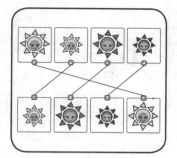

184

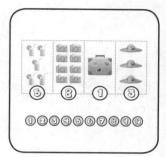

185

186

188

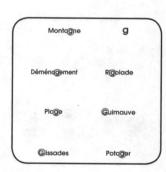

Monta**g**ne   **g**

Déména**g**ement   Ri**g**olade

Pla**g**e   **G**uimauve

Glissades   Pota**g**er

189

190

192

HAUT GAUCHE

194

A et B

196

198

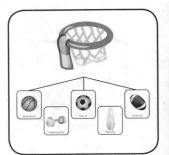

199

200

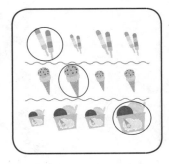

202

203

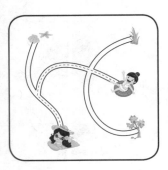

204

Singe

205

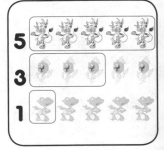

Solutions

206

207

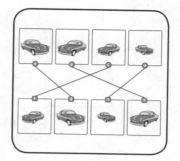

208

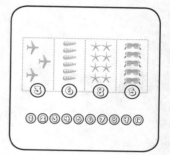

209

210

212

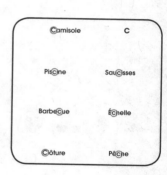

Camisole   C

Pis**c**ine   Sau**c**sses

Barbe**c**ue   É**c**helle

Clôture   Pê**c**he

213

214

216

DROITE

Solutions

218

B et C

220

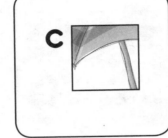

222

223

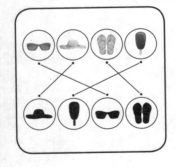

224

226

227

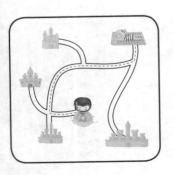

228

Chenille

229

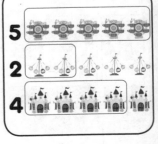

5

2

4

230

230

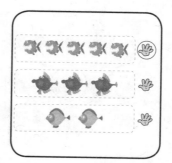

232

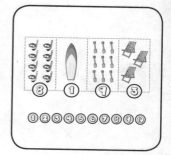

233

234

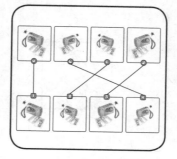

236

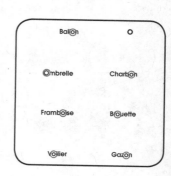

237

238

240

BAS DROITE

242

C et D

244

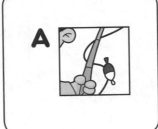

246

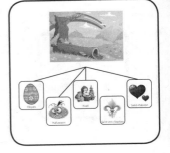

247

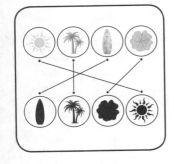

248

250

251

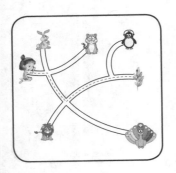

252

Tracteur

253

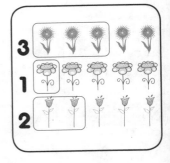

Solutions

254

255

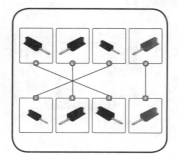

256

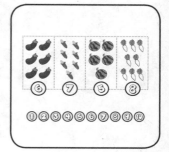

257

258

260

Voyage   y

Boyau   Kayak

Bicyclette   Tuyau

Yourte   Motocyclette

261

262

264

GAUCHE

266

C et D

268

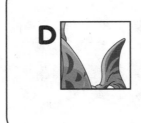

270

271

272

274

275

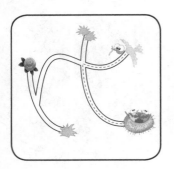

276

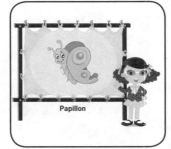

Papillon

277

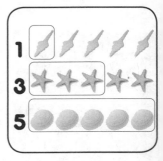

1
3
5

Solutions

278

279

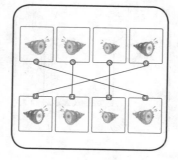

280

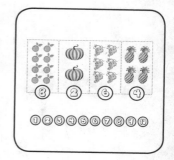

281

282

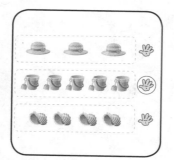

284

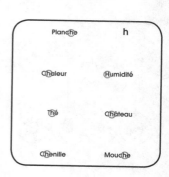

Planche   h

Chaleur   Humidité

Thé   Château

Chenille   Mouche

285

286

288

DROITE

Solutions

290

A et C

292

294

295

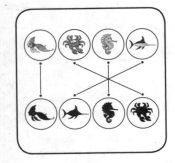

296

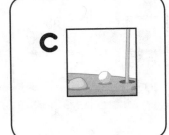

298

299

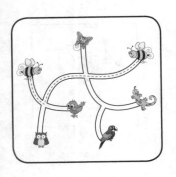

300

Hélicoptère

301

5
4
3

302

303

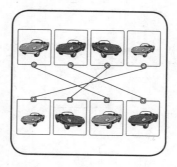

304

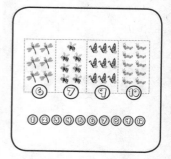

305

306

308

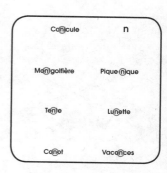

309

310

312

HAUT DROITE

Solutions

314

B et C

316

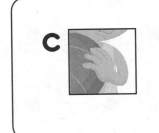

318

319

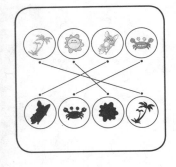

320

322

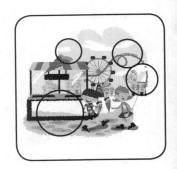

323

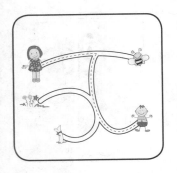

324

Avion

325

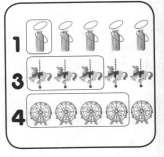

Solutions

326

327

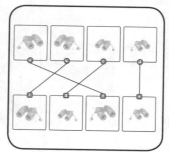

328

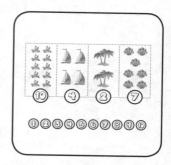

329

330

332

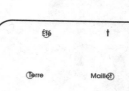

ÉTÉ   t

Terre   Maillot

Vente   Bateau

Plante   Fruitier

333

334

336

HAUT GAUCHE

Solutions

338

A et D

340

B

342

343

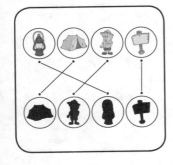

344

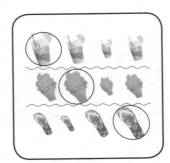

346

347

348

Caméléon

349

2

1

4

Solutions

350

351

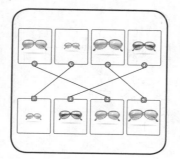

352

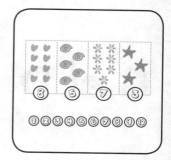

353

354

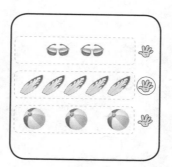

356

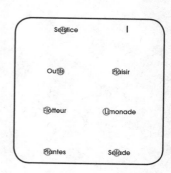

Solstice   I

Outils   Plaisir

Flotteur   Limonade

Plantes   Salade

357

358

360

BAS GAUCHE

362

C et D

364

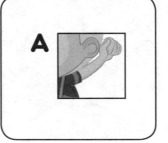

A

DESSIN LIBRE

Dessin libre

Dessine ce que tu veux.

Dessin libre

Dessine ce que tu veux.

Dessin libre

Dessine ce que tu veux.

Dessin libre

Dessine ce que tu veux.

Dessin libre

Dessine ce que tu veux.

Lucia

Dessin libre

Dessine ce que tu veux.

LUCIa

Mon. June 16 18h
Tues June 17 18h30→
Sat. June 21
Sun. June 22
Tues. June 24 16h15→
Wed. 25 8h

L'utilisation de 8 720 lbs de Rolland Enviro100 plutôt que du papier
vierge aide l'environement de façon suivante :

Arbres sauvés : 74
Réduit la quantité d'eau utiliseé de 273 085 L
Réduit les émissions atmosphériques de 10 752 kg
Réduit la production de déchets solides de 4 137 kg

C'est l'équivalent de :
Arbres : 5 terrains de tennis
Eau : 780 jours de consommation
Émissions atmosphériques : émissions de 4 voitures par années
Déchets solides : 84 poubelles

MARQUIS

Québec, Canada

Imprimé sur Rolland Enviro100, contenant
100% de fibres recyclées postconsommation,
certifié Éco-Logo, Procédé sans chlore, FSC
Recyclé et fabriqué à partir d'énergie biogaz.